劉福春・李怡 主編

# 民國文學珍稀文獻集成

## 第四輯
## 新詩舊集影印叢編　第126冊

### 【倪貽德卷】

# 東海之濱

1925 年 12 月初版，上海：光華書局 1926 年 8 月 15 日三版

倪貽德 著

花木蘭文化事業有限公司

國家圖書館出版品預行編目資料

東海之濱／倪貽德 著 -- 初版 -- 新北市：花木蘭文化事業有限公司，

2023〔民 112〕

172 面；19×26 公分

（民國文學珍稀文獻集成・第四輯・新詩舊集影印叢編　第 126 冊）

ISBN 978-626-344-144-6（全套：精裝）

831.8　　　　　　　　　　　　　　　　　　　111021633

ISBN-978-626-344-144-6

9 786263 441446

民國文學珍稀文獻集成 ・ 第四輯 ・ 新詩舊集影印叢編（121-160 冊）

第 126 冊

# 東海之濱

著　　者　倪貽德
主　　編　劉福春、李怡
企　　劃　四川大學中國詩歌研究院
　　　　　四川大學大文學學派
總 編 輯　杜潔祥
副總編輯　楊嘉樂
編輯主任　許郁翎
編　　輯　張雅淋、潘玟靜　美術編輯　陳逸婷
出　　版　花木蘭文化事業有限公司
發 行 人　高小娟
聯絡地址　235 新北市中和區中安街七二號十三樓
　　　　　電話：02-2923-1455／傳真：02-2923-1452
網　　址　http://www.huamulan.tw 信箱 service@huamulans.com
印　　刷　普羅文化出版廣告事業
初　　版　2023 年 3 月
定　　價　第四輯 121-160 冊（精裝）新台幣 100,000 元　　版權所有・請勿翻印

# 東海之濱

倪貽德 著

倪貽德（1910～1970），生於浙江杭州。

一九二五年十二月初版，光華書局（上海）一九二六年
八月十五日三版。原書三十二開。影印所用底本封面缺。

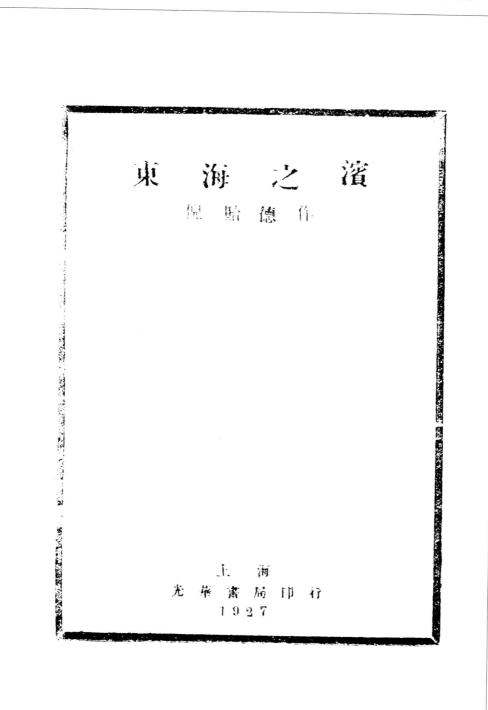

東 海 之 濱

倪 貽 德 作

上 海

光 華 書 局 印 行

1927

# 東 海 之 濱

倪 貽 德 作

光 華 書 局 發 行

上 海 四 馬 路

中華民國十六年十二月十五日四版

金一冊實售四角

# 東海之濱的短序

　　最近這半年來，我眞是什麼東西也沒有寫，有時候攤開稿紙，提起筆來，却總覺意味索然，兩只眼睛是對着牆壁呆看，什麼也寫不出一句來的；比到兩年之前，作玄武湖之秋的時代，一面流着眼淚一面振筆直書的那種精神，正如秋後哀蟬，再也提不起嗓子來高唱的了。

　　朋友們時常來責我爲甚麼這樣疏懶，我總是拿這一向來事情太忙，或是現正努力於洋畫這一類的話對他們講，其實這都是自欺欺人之談。生活的平凡，修養的缺少，這是實在的事情。

　　最大的原因還是我對於自己的文藝起了懷疑的原故。人家都是這樣說，文藝是一切受難者訴說怨苦的地方，在這裏可以得到無限的同情與慰藉，這句話我覺得有些不大忠實。三四年前，我還是一個活潑潑的青年，有健全的體格與充足的精神，自從執筆爲文以來，感覺便一天一天的敏銳起來，思想便一天一天的沈鬱下去，每

## 2 短 序

好作牢騷幽怨之語，發傷春悲秋之辭。起初，我還以為有了愁悶，便可借此發洩，誰知愈發洩而愁悶愈甚，到了後來，就是沒有眼淚的時候，也要故意尋求一點悲戚製造一點眼淚出來以為快慰的。到如今，胆氣愈弄愈古怪了，人也愈變愈頹廢了。

人生只是短短的幾十年，何徒自苦為？悲戚與愁嘆終是弱者的行為，我將與他從此離棄了吧。文學終是與我無緣的，現在，我在色的韻律與形的節奏上感到了新生命的活躍，我將費我的畢生之力在這一方面追求。

這裏面所集的幾篇，是我在玄武湖之秋以後所作的東西，在各處刊物上絡續發表過的，裏面的內容，自然是更顯其貧弱與無聊，若是照現在的我的趣向看來，簡直沒有重印問世的必要，不過我想起了當時的一番苦心，想起了我將來或者不再在文藝園裏栽一株花草，那麼這一點東西，也可以算我一生的一點小小的紀念品了。

最後，我要向為這本集子繪封面的葉靈鳳兄致深切的謝意。

# 目　次

## 第　一　輯

第　一　輯

# 秋 的 心

秋的心，

是空虛的

淡淡地

默默地

消沈在無限的寂寞裏了。


晚陽無聲地落了，

黃葉無聲地飛了，

寂寞的心啊，

也飛了，飛了。……

# 夢　襄

恍然是我的舊相識，

依依——無語。

只淚兒盆盆，

只手兒握得緊緊。

哦，又飛一般的過去了！

# 青　春

樓頭的東風，

又依依地吹來，

只有你這年輕的姑娘喲，

是常常溫存着我。


何堪再見那綠草的青青，

何堪再見那楊柳的新新，

去年惜別離的時候，

我不是告訴你們的？

來春報你以好消息。


聽梁上燕子的呢喃，

看窗外花蝶的開懵，

我的神魂何處？

啊，只如醉如痴，

向無限的東風摟抱去。

## 故　　鄉

囘到了故鄉，

還不見一個故人；

那許多過去的不相識者，

他們可是在囘頭猜我，

這何處來的異鄉的飄流客？

蒼蒼的山依舊是蒼蒼的，

盈盈的水依舊是盈盈的，

但他們終不若昔日的與我相親，

空費了我在異鄉夢裏的追尋。

## 湖 邊 的 少 女

銀河淡淡的涼夜，

4　　第　一　輯

秋水盈盈的湖面，

湖底裏倒映着一個

纖纖的倩影，

湖邊上有一個少女

在低低地訴她的幽怨。


湖邊的少女，

你泣着，你嗚咽着，

你泣着爲的是什麽？

你可是受了他人的欺凌？

或是有如許過來的哀怨，

過來的愁恨，

——說不出的衷情？


啊！說不出的衷情嗬，

終於是說不出的嗎？

你爲甚深深瞞隱了？

你為甚不肯告你遠方的戀人？

啊！你將永遠永遠的，

葬她在靈魂的深處，

與永刼而同存！

# 湖　　上

夜風把赤日的炎威吹盡了，

一鈎的新月兒又高掛在天上，

環山是伸着長臂緊緊地在擁抱，

啊！我今朝又重見了這親切的故鄉；

看遠處搖搖的銀波之中，

好像有一隻小舟在蕩漾，

那兩個並肩交頭的黑影，

可是荷花池畔夜度的鴛鴦？

啊，夢一般的舊日的歡情，

如今又重溫了我冰一般的胸膛；

啊，我今朝重見了這親切的故鄉，

又禁不住淚流而悲傷！

# 登 劍 門 放 歌

## 一

登啊！登啊！

任山路兒崎嶇吧！

任山徑兒曲折吧！

任山坡兒顛連吧！

但我們終歸要登，

快登！

快登上極頂的高峯！

## 二

綠滿了遍野，

綠滿了遍山，

遍山都是野花啊！

東海之濱

遍野都是芳草啊！

哦！

數不盡的生命，

隨意聚着的生命，

都在蓬蓬勃勃地生長啊！

### 三

仰頭我看天——天蒼蒼

低頭我看地——地茫茫，

我的靈魂兒喲，

又彷彿在縹緲的夢鄉。

### 四

試一聲長嘯，

驚破那四山的寂寥，

啊，我有生以來的哀怨喲，

我有生以來的悲憤喲，

都隨着長風去了！

### 五

8　第　一　輯

哦，山風吹來了！

浩蕩蕩的山風吹來了！

山風，你吹！

你快把我吹去喲！

吹去——吹我到崑崙山的頂點上吧！

啊啊！

我胸中沸騰着的熱血喲，

快讓我恣情地迸發吧！

## 六

劍門到了！

劍門到了！

莊嚴的劍門！

奇峻的劍門！

雄渾的劍門！

力的劍門喲！

男性美的劍門喲！

## 七

且低着頭兒線吧，

低着頭兒擴大我的視線吧！

視線以內——

幾十里的平野，

幾百里的平野，

那樹——那一堆一簇的不是樹？

那河——那白帶似的不是河？

那田——那一方一塊的不是田？

樹喲，河喲，田喲，

生命的泉源喲！

大自然的精靈喲！

## 八

凹山的夕陽，

又照得那麼金黃，

「不如歸去，

不如歸去喲！」

杜鵑又聲聲在摧着我們歸去了！

啊，空山莫久留，

我快歸去！

踏着山坡歸去！

看着嵐光歸去！

帶着滿懷說不盡的畫景詩意歸去！

## 幽　懷

清輝默默的夏夜，

我獨坐在池旁，

流螢明滅，

睡蓮徐吐幽芳，

晚風吹得我亂髮婆娑，

月兒映着我的孤影徬徨。


啊，你嬌美多情的月兒哟！

你幽閑聖潔的光輝，

今夜可曾照到了彼方？

那兒有連山的環抱，

那兒有湖波的盪漾，

——那人兒生長的故鄉！


啊，遙想那今夕的彼方，

定有幽人兒在對月神傷，

她那盈盈欲淚的眼波，

或許在對着縹緲的遠方悵望。


或許是在嘆美好的青春，

隨年華而消亡？

或許是爲着目前的不樂，

與未來的命運而悲傷？


她曾說紅顏已在鏡裏消瘦，

她曾說華髮已在梳邊凋謝，

她是多愁而失望，

自然的美景與現世的歡暢，
都在她乾枯了的眼底消亡。

啊，我有時也想去跪在她的裙邊，
把我的相思苦痛和她重頭數遍；
我有時也想如個倦了的嬰孩，
將我多年的眼淚
在她的胸前灌漑灌漑。

但關山隔了重重，
千里的長江
又徒使人與嘆而惆悵，
我又不能如那浩遊雲間的烏雀，
隨揚長的悲風而飛往。

到如今地隔千里，
人在兩方，

在這樣幻美的夏夜之中，
我只能孤冷地獨坐在池旁；
對着這多情嬌美的月兒
徒臨風而遙想。

## 迷 離 的 幻 影

愛人喲！我們這一對可憐的運命，
好像河海中的兩片浮萍，
暫時給微風吹聚了，
誰料又被無情的狂濤飄分！

七月的星空是浩渺無垠，
我遙望着天漢的銀河倍覺無限悵恨。
那梳人靈魂的秋風輕輕，
輕輕吹起了我心坎中迷離的幻影。

幻影迷離時在我的心頭孤棲，

14　第　一　輯

我猶覺得你的倩影唷在我身旁偎依；

你芳脣徐吐的儂音呢呢，

彷彿還低低地在我耳邊依稀。


啊！夢一般的歡聚，

爲甚匆匆如白駒過隙？

時間是作弄了我們，欺凌了我們，

他將我們歡樂的光陰流逝了，從此不再囘程。


到如今只有這迷離的幻影，

時來我的身旁依依溫存，

如像那鳥語花香的春光之中，

白髮的老人在想起他的少年時分。


但時間的惡魔還不肯放鬆我的呢，愛人！

到將來你做了別家人的時候，

就是這迷離的幻影唷，

也要漸漸在我泳化了的胸前消盡！

# 紫藤花開的時候

紫藤花開的時候，
年輕的蜂們結隊來遊，
那是香國裏嬌養慣了的歌神，
聽喲，她們正奏弄起愛與歡樂的琴音！

和煦的南風從海上吹來，
美的夏夢由暗淡的春愁中展開，
猶如在風光朗媚的晴暖之晨，
與愛人兒醉臥在地中海之濱。

花底下穿過了的麗人之影，
她的身軀兒在光與影間娜娜婷婷；
微風吹過她翩翩的裙裾，
長餘幽香在芳冽的空氣裏。

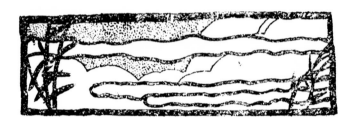

第 二 輯

# 初　戀

在如此繁華雜亂的鬧市之中，有這樣一間小小幽靜的安樂窩，也可以算得是地獄裏的天堂，魔窟中的樂園了。

其實這也不過是中常住宅的一間樓房，一樣的簡單而粗疏；不過經他們佈置之後，和別人的却有天壤之差了。壁上新粉了一層湖綠色的油灰，全體的調子就清新得多，淺紅色輕薄的紗帷在玻璃窗上圍着，便使外面強烈的光線射不進來了。室內的陳設，既然不繁雜，也不十分華麗；靠西南隅，放着一扣不高不低的西式衣櫥，在那衣櫥上的大鏡子裏面，可以看得見對面的那些梳妝台，安樂椅，沙發，鋼琴，以及側方擺着的黃銅欄干的洋床，床上鋪着的絲質被褥之類東西，都是極整齊而有次序地安放着。台上的兩盆水仙花，正放出些微微的清香，更現出這室內融樂與和愛的光景。

初春的一個晚上，外面的空氣又是寒冷，又是黑暗

2　　第　二　輯

　，和消失了的殘冬原也沒有甚麼分別，然而只要一進到
這間樓上，就能使人頓時覺得好像在暮春時節晴明的午
後，昏昏迷迷的，簡直要融化了去的一樣。原來那室內
的爐炭正燒得熊熊，那電燈白熱的光也把全屋子裏照得
通明，以致沒有一處不是歡樂而可愛的了。

　　在那電燈明亮的底下，在那和暖的火爐旁邊對坐着
的，是一個俊秀的青年和一個嬌美的少婦，他們大約是
新婚不久罷，不然爲甚麼有這樣一股喜氣充溢在他倆的
眉宇之間呢？他倆這時候並沒有喁喁情話，只是默默地
低着頭在那裏翻閱書本，都好像很專心在那裏研究的樣
子。其實在這樣的環境裏面，那裏能夠眞正專心得來？
這終不過是表面上好像罷了，暗地裏那四隻眼睛，却時
時離開了書本子，在互相的偷看着，那偷看的眼光裏，
又都彷彿含蘊着一種奠名其妙的熱力似的；有時他們四
隻眼睛的光線恰巧成了兩根直線的時候，大家倒覺得有
點難爲情，面孔紅紅的，互相羞澀地笑了起來。

　　——怎麼？你看書看書，看到我的面孔上來了！

————哦！像你才用功呢！你這樣用功也會曉得我在看你的嗎？

————好好，我不看了！我不看了！我們在這兩點鐘之內大家都不許看，也不許講話。

————算數！

————看了講了又怎麼樣呢？

————那個逢了的，那個就該被親一個嘴。

————我不來！我不來！

兩個人互相抱牢着笑了一會，仍復各歸到本來的位子上看書了。室內一時沉默了許久，然而不到幾分鐘之後，青年無意中在書本裏翻出了一張信紙來，那是一張小學生習字的九宮格紙，因為年代隔得很久了，那張紙更變成了灰黃的顏色，他頓時現出了驚奇和欣喜的笑容，急急的把牠攤開來，用了十分的注意力看了一遍。

————啊！這歪斜稚弱的筆跡，這小女孩兒的口氣，不是十餘年前她給我的那封信嗎？我以前曾經幾次找牠不到，怎麼今晚會在這書裏發現了呢？……

4　第　二　輯

　　他這樣的驚疑了一下之後，忽然將一只手拿着那封信故意把來藏到身背後去，另一隻手却拍着少婦的肩膀，歪着頭笑嘻嘻的要求他說：

　　——你試猜猜看，你曉得我那隻手裏拿的是什麼東西？

　　——你又來了！你剛才不是說兩點鐘之內不和我講話的嗎？

　　——但是你要把這樣東西猜着了我才不同你講。

　　——我不猜，我不猜，你的東西我怎麼猜得着呢？

　　——你一定猜得着的，這是你給我的——

　　他一邊這樣說着，一邊又故意將那封信露出了一角給她看。

　　她起初還是莫名其妙的，但是過了一息之後就似乎有些猜想到了，她的嫩頰上也立刻一陣一陣泛起了江潮，嬌羞似的撲到青年身上要想把那封信搶過來。

　　——究竟是什麼東西？你給了我吧！你給了我吧！

　　——我不給你，給了你，你一定要把來撕碎的。還

是我讀與你聽罷！──他帶笑帶說的說到此地，就把身體避遠了一些，拿出那封捏皺了的信攤平了，故意地提高了喉音讀下去：

──我親愛的鱗哥：你能夠原諒我嗎？我知道你是一定能夠原諒我的。我……讀到此地，她再也忍不住了，便搶步過去扭住他的衣襟啊啊的叫了起來：

──你還要讀；你還要讀，你忘記了麼？那個時候不是你先寫給我的？你倘若不先寫給我，我也不會寫給你……

不知道被那過去的囘憶所感動了呢還是被另外一種神祕的力所壓服了，他竟沒有興致再讀下去，態度也沒有剛才那麼輕佻，只輕輕地把伊的手握住了俯下了頭，溫存地微笑着問她說：

──你那時看到我的信的時候心裏覺得怎麼樣呢？

她也頓時一變嬌羞而爲沉默，徐徐地將頭垂了下去，眼睛裏也慢慢的合成了條弧線，全身好像穌軟了似的依在他的懷裏，彷彿像一朵嬌艷的花兒在薄暮時候含羞

欲閉的神情，一般的具有可憐而又可愛的模樣。

　　——啊，這是兒時的往事，你怎麼今晚上會重新想起來的呢？那個時候我們年紀小，總常愛鬧這樣的玩意兒的，此刻想起來眞是好笑。

　　——但是我覺得這倒是很可紀念的事情，現在我們就是要這樣也做不到了。唉！自從那囘之後……

　　說到此地，他們兩人的全身心都好像被一縷如烟如雲的舊夢所縈繞住了，痴痴呆呆的並坐在一沙發上，竟一聲也不響，四只眼睛只是沉默地對着爐內熊熊的火光發呆，好象這火光裏面有什麼東西蘊藏着而可以追尋得出來的樣子。

　　臨H河的岸邊，有一帶藤蘿蔓延的高牆，這高牆裏面的建築，雖說及不來神仙之府，也沒有如海的深廣，然而結搆的精巧，材料的古樸，倒是別饒風味的。有綠陰中的樓閣，也有像長江裏駛行着的樓船一樣的花廳，從這花廳到樓閣去，有兩條修長的走廊相通，所以在這

花廳，樓閣，和走廊的中間，就無形中圍成了一個很寬廣的庭園。這庭園的中間滿植了各種四季的花木，聽說都是這屋裏的老主人生前所種，以娛林泉隱逸之樂的，紅的有牡丹與碧桃，紫的有秋葵，黃的有洋萱，攀在竹籬上的有薔薇與木香，種在小圓缸裏的有紅蓮……四季不息的在那裏轉變，而她們也次第的在那裏開放；夏秋之間固然很不寂寞，而暮春三月的時候，尤其覺得絢爛而燦燦。

不過自從老主人去世之後，年壯的兒子既出去遠仕他方了，年紀大一點的女人們常深居房閨中而不出，這庭園的大好美景，倘使沒有那老主人的女孩兒蓉姑常常遊戲玩耍在這中間，怕早已荒涼零落而無人顧問了！

在鳥聲嘶亂，涼露未消，初升的旭日還隱藏在朝霧的紗幔裏面的朝晨，或者是候虫爭鳴，晚煙輕繞，夕陽的光線祇剩得一絲的薄暮，我們常可以在這像童話中一般的美的庭園裏，看見一個十二三歲的小姑娘，她披散了一頭的黑髮在肩上，淺淡的柔軟的衣服和小小圓頭的

小　二　姐

鞋兒，都自然而然的把天真美妙的女性美整個的露了來，她走起路來覺來不肯安安穩穩的，不是像小鳥般一跳一聳，就是像雲影似的不着跡的輕移，每移到了處花葉芳茂的叢中，她便暫時停止，側着頭朝牠們徵一會，又將嫩白的小手輕輕地撫弄幾回，或用和花兒樣紅的嘴唇去親吻幾下。她的性格又有些和旁的兒童不同，愛花雖愛花，但並不歡喜去攀摘，只是讓牠們自開自謝；含苞將放的時候，她覺得有無限愉快的希望，看到彫殘零落了，她又不知不覺為牠們傷感而悼惜。

　　和蓉姑同遊同樂朝夕相伴的，是她的鄰居張家的麟兒，他們原是住在一個大牆門裏面，只是一東一西的不同罷了。兩家既然相處得長遠，蓉姑的母親和麟兒的母親便時常彼此來往，她們情誼的親密簡直和親戚一樣，所以她們兩個小孩子自小便是玩熟的。在炎威將退的初秋，在星斗滿天的涼夜，一對肥美的小孩，常常跟着他們年輕的母親，坐在芭蕉樹底下悠悠的談心，或是指着天上的星斗，唱起清婉的歌兒；或是扭着他們母親的衣

袖，要講有趣的故事。

　　時間是不知不覺的過去，如今她們都已經有十二三歲的光景了。在兩年之前，她們都被送到隔河的陸家所設的啓蒙書塾裏去念書了，每天早晨同去上學，一俟到下午放學之後，又互相手攙着手的歸家。他們在書塾裏和旁的小朋友並不十分交際，所以歸家之後，麟兒時常跑到蓉姑的園子裏去，或是捉着草間的蚱蜢，或是看着葉上的昆虫，或是站在花間喁喁的私語，或是坐在草地上翻着美麗的畫報……他們幼年時代的生活，就是如此的消磨過去了。

　　三月晴朗的午後，空氣眞是融和得很，溫暖的微風不知道在什麼地方醞釀出來的，帶着一種不可捉摸的醉意，使人感受着了怪適意不過，同時又像昏昏迷迷的想向空間摟抱過去的樣子。而最是在那深深的園子裏，尤其是使人心迷魂蕩。枝上的綠葉，經過了幾番春雨之後，早已參差競上的回復了牠們舊日的榮華；桃李花雖將

謝落了，然而繼起而怒放出來的，比先前更是紅艷繁茂得可愛。忙不過的是那些蝴蝶與蜜蜂了，牠們鼓起美麗的翼子，飛到這邊，又飛到那邊，嗡嗡營營的聲音，時常在那迷迷糊糊的空中振盪不已。

那是一個休假日，蓉姑吃過午飯之後，悶悶的坐在屋裏，覺得無聊得很，但她一想起園子裏這時候的情景，是如何的嬌美可愛，又如何的芳香醉人，她便再也不願意遵守她母親的話：去關了書本子，又和往日一樣，像小鳥般的一跳一跨的走到園子裏來了。

剛穿過了竹籬，她就看見麟哥已先她而在園子裏玩了。他蹲在地下，將半個頭伸進在一叢綠葉的中間，兩隻手也伸進在綠葉裏面不知道在做什麼事情。她不聲不響的偷偷地走到他的背後，也將兩隻小手伸進葉子裏面掩住了麟哥的雙眼。

——你猜，你猜我是誰？——要想不笑，然而仍舊噗的一聲笑了出來。

——放了我罷！放了我罷！誰猜不着呢？蓉妹，你

看，這一條有趣的青毛蟲——他這樣說着，已早將蓉姑的兩只小手掙扎掉了，一邊卽拿了一條青綠色的毛虫給她看。

——喔喲！我怕！我怕！這樣可怕的毛虫，你快放了牠吧！——蓉姑退後兩步叫了起來。

——有什麼怕呢？將來變了蝴蝶你就要歡喜牠了！

——怎麼將來會變蝴蝶？

——前幾天陸先生不是對我們說過的嗎？他說蝴蝶是青毛虫變出來的，你看，你看，那些好看的蝴蝶，都是這些可怕的青毛虫變出來的。

幼年的青毛虫終究及不來青年的蝴蝶之美麗動人，他們這時就把青毛虫丟開，四隻圓黑的眼睛都遊移到在花間飛舞的蝴蝶上去了。

——但是這梁山伯和祝英台是人變的。——蓉姑指着兩隻黑色的大蝴蝶說：

——誰和你說是人變的？

——母親同我說的。

——騙我，騙我，我不相信，我去拍了牠來，好不好？——麟兒說着就想摸了過去，却被蓉姑拉住了。

——你拍牠們做甚，看牠們在花葉中間飛來飛去不有趣嗎？——麟哥，你看牠們最歡喜的是那一種花？

——我看牠們最歡喜這株玫瑰花了，牠們老是停在這花上不肯走的。——他們一邊這樣談着，一邊却已慢慢的走到那株含羞娉婷的玫瑰花的旁邊，幾隻蝴蝶和蜜蜂看見有人來了，都悠悠揚揚的飛了開去，那艷紅的玫瑰花，依在綠葉中間，受着陽光的薰照，正好像美女在那裏貪睡午覺的樣子。

——這玫瑰花眞的好看，怪不得蝴蝶要歡喜牠，我也是頂歡喜牠，牠比牡丹要來得纖巧，她比薔薇要來得珍賞，她比⋯⋯園裏的花，那裏有一種及得牠來呢？」

——但是這株花我從前好像沒有看見過，是不是新種出來的？

——這株玫瑰花是姑母送我的，前幾天我到姑母家

裏去玩，看見了這一種花很歡喜，後來姑母第二天就差
人送了這一株來與我。你看牠現在還沒有開足呢，再過
幾天開足了更要好看了。

　　――再過幾天開足了，採下來帶在你的頭髮上，插
在你的衣襟上，不是更好看了嗎？

　　――我不要帶…我不要帶…

　　她們在這春光融和的園子裏面，隨處的走着玩着，
隨處的小鳥一般的極自然極天真的談笑着，竟忘記了光
陰之易去，直等到太陽已經漸漸向西方斜過去，他們兩
人在日光下的影子也一分一分的修長起來，他們的僕婦
來喚吃晚飯的時候，才各自快快的歸到他們各自的屋子
裏去。


　　第二天的早晨，蓉姑被枝頭的鵲噪聲驚醒過來之後
，掀開帳角探頭出去一看，她看見那窗外的一角淡青的
晴空，有幾片桃色的浮雲如海上的仙舟在那裏輕輕地盪
漾，朝陽已經被滿在枝頭屋角上了，她的小小的心兒，

14　第　二　輯

不知不覺地他們鼓舞起來，好像前面有無限愉快的希望將要臨到的樣子，同時她又想起了園裏的那株最可愛的玫瑰花，受了昨晚一夜的清露，想又開放得更大，開放得更美麗了。她更匆匆地跳出被窩，把衣服鞋子穿着好了，臉也不先洗一個，就急於要去探花的消息去了。

這眞是出於她意料之外的，她走到園子裏，只看見那株玫瑰花上，非但不比昨天開得更大更美麗，而且連昨天所看見的那幾朵將開的花，都杳無蹤影，不知去向了。盡是些綠綠的葉子是多麼單調而空虛！更俯下頭去一看，又見許多零碎的殘瓣紛亂的萎棄在地下，像是經過了暴風雨後的一樣。這情景是未免使她太難受，她兩只手搓在大腿上，愕然的呆住了，漆黑的圓眼裏面也比先前更晶瑩明澈得可愛起來，這分明是因爲有兩滴淸淚包含着在的原故。

——這是怎麼的？這是怎麼的？昨天好好的花兒，怎麼過了一晚上就一朵也沒有了？

——鵲兒啄了去吧？鵲兒不要啄花的。黃鼠狼吃了

去嗎？黃鼠狼是只要吃小鷄的。別人採了去嗎？這園裏更沒有別人進來。

——哦！這一定是阿香採去的！啊啊！阿香偷了我的花兒！阿香偷了我的花兒！……

她正在這樣懸疑的時候，遠遠的看見麟哥跑來了，手裏拿着的正是一束鮮紅的玫瑰花，他一面跑着，一面很高興的大聲喊道：

「蓉妹！蓉妹！你怎麼跑在此地，我尋了你半天才尋到你。你看，這幾朵花不是比昨天開得更好看了？我剛才特地將牠採了下來，來送給你帶在頭髮上，佩在你衣襟上的。」

採花的並不是阿香，卻是蓉姑的小朋友麟兒，這眞是出于她的意料之外：她氣得一句話也講不出來，只是背轉了身體不去理他，過了半息，她才帶哭帶說的斷斷續續的道：

「這…這…這是我的花，誰要你去採牠？誰要你來送我？我…我不要；我不要…我要你賠…你，你把牠接

16 第二輯

上去……」

麟兒因為昨天聽蓉姑說過最愛這株花，所以他今朝一醒轉來，就跑到園子裏，走到那株花的旁邊，看見那些花兒果然比昨天開得更大更美麗，他便不管牠刺手不刺手，把那些花兒一起摘了下來，很與高采烈如同凱旋似的想將牠來送給蓉姑，原是想博得蓉姑對他的好感，誰知現在看她這樣動氣，而且對他這樣不好的態度是從來沒有過的，他又是不好意思又是後悔，一陣心酸，手兒鬆了，花兒都落在地上，他如黃豆大的那眼淚也一顆一顆的像泉水般的湧了出來。他一邊不住地揩着眼淚，一邊打着顫音的說：

「這 怎麼接得上去呢？我不賠你，我不賠你。」

「不賠我，我去告訴你的母親。」

「你去告訴好了，讓母親打死我，打死我你才悶心呢。」

「我一定去告訴。」

「我從此以後不和你要好了——不怕羞的，拿了我

東 海 之 濱　17

的紅鉛筆，你快把牠拿來還我。」

「不要好就不要好好了，我前回送給你的那個洋線
袋也把牠還我，還有…」

「…………………………」

「…………………… …」

她們這樣大聲的哭着吵鬧着；早已驚動了在客堂裏
打掃的婢女阿香，她想我們的蓉小姐同張家的麟官平常
是很說得來的，今朝不知為甚麼事情要爭吵起來，她便
立刻去開了掃帚畚箕，跑到園子裏去，只看見他們都哭
做一團，還在那裏你一句我一句的鬧着。她俯下頭去笑
着勸他們道：

「不要鬧了！不要鬧了！再鬧下去不羞死人嗎？等
一息又要哥哥妹妹的叫起來呢！有什麼事情都是我不好
，你們都來罵我罷！現在已經七點多鐘了，還不快些進
館去？……」

她這樣的說了之後，便拉着蓉姑的手把他們暫時分
開。蓉姑就隨着阿香哽咽着出去了。只是麟兒還站在那

兒哭哭啼啼的說道：

「你去告訴好了，讓我母親打死我，打死了我你才開心呢。……」

蓉姑的性情是再溫柔軟弱不過的。她今朝也不過因着一時愛花心急，以致不免遷怒於麟兒，無意識的鬧了一場，後來經了阿香幾句勸語以後，她的氣就漸漸的平下去了。她並沒有去告訴麟兒的母親。過了一息，她就擦擦眼睛上的餘淚，不聲不響一個人孤另另地走到隔河的陸氏啓蒙書塾裏上學去了。

她不曾想到因爲這件事情竟牽延了許多時刻，平常她和麟兒一同上學去的時間總是很早的，差不多比誰都要早。但是今天她踏進課堂的時候，她看見許多同學都已經坐得滿滿了，只有她和麟兒兩個的位子還空着。陸先生也已經高高的站在講堂上講書了，等到她在位子上坐好之後，他就提高了喉嚨向蓉姑問道：

「你平常來得很早的，今天爲甚麼事情躭了時間？」

「昨晚上因爲我們家裏來了一個遠處的親戚，我睡得很遲，所以今天來晚了。」　蓉姑急中生智，自己也不知怎的竟會想出這樣圓到的誑言來騙先生。

「張玉麟呢？他爲什麼不和你同來？」

「他也因爲有些事情，等一忽兒就會來的。」

她這麼說着，帶着墨晶眼鏡的陸先生雖然被她騙過了，但騙不過的是滿堂圍坐着的那些小同學。她覺得他們那許多可怕的眼光都在注意着她，注意着她的一雙哭過了的紅腫的眼睛；在這雙紅腫的眼睛上，好像有許多羞人的事情已經被他們發覺出來似的。她爲着要避開他們那些可怕的眼光的原故，只願將頭深深的低垂着，做出在那裏極用功看書，極留心聽講的樣子。然而今天她受了這一番刺激，心裏覺得十分難過，怎麼也不能夠注意到這些上去。她一方面旣懊恨剛才的性子過激，太對不起麟兒了；一方面又焦急地等着麟兒來上學。然而九點鐘過了，十點鐘過了，終於不見他那可憐的踪影。她旁邊的位子終於空空的，沒有往日的那麼具有親切而甜

蜜的滋味；她開始感到一種填補不上的空虛了。

——他為甚麼還不來呢？他為甚麼還不來呢？這一定是我害他的了！他可是為着怕我去告訴他的母親而軟着不敢出來呢？還是因為剛才哭得太傷心而生起病來呢？……唉唉！我真對他不起……我真對他不起……

——唉唉！他真是一個可憐的人。他是常常要哭的，他的父親常常要打他，他的母親常常要罵他；他被打了罵了之後，總是哭哭啼啼的到我面前來訴苦。唉唉！如今我也罵他哭了，他又向誰去訴苦呢！

——其實今天完全是我錯的，我的性子不知怎的會這樣急來起？他採花送給我，無論如何總是他對我要好而採來送我的，他一定是要使我心裏歡喜而採來送我的；我正應該謝謝他，怎麼反而這樣對待他呢？怪不得他要哭得如此悲傷了！……唉唉！他手上的血，不是被花刺刺出來的嗎？啊啊！我懊悔那個時候不拿我的手帕把他包起來……

——他明天不曉得來不來上學了？他以後恐怕永不

再來上學了！他就是再來也再不和我同坐了！唉！我以後同誰去談天呢？我以後讀書讀不出的時候去問誰呢？以後人家欺侮我起來，誰來保護我呢？──他們頂可惡。他們從前常常來欺侮我的，他們欺侮我起來麟哥常常幫助我，有的時候和他們打起來的。但是，但是，以後有誰來幫助我呢？我只好任他們欺侮了。……

──啊！麟哥啊！你不要再哭了罷！你的蓉妹是已經曉得不是了！就是被你罰打一百紀一千紀也情願的！……

她這樣的想着，眼睛裏的淚珠幾次三番要湧出來，但可怕的是這許多同學的譏笑與侮辱，她終於不敢放聲哭出來，她終於只好偷偷的摸出手帕來揩着。她又想立刻回去跪在麟哥面前向他賠一箇罪，但可怕的是陸先生那一付大而黑的翠晶眼鏡和凶惡的聲音，她也終於不敢動一步，她終於只好坐在座位上自己對自己懺悔。

──唉唉！倘若等一息我向他去賠罪他不來理我，不難爲情嗎？

　　她這樣的一想，覺得又有些头痛，但她立刻又想起了一個最好的求和的法子。

　　——還是寫一封認罪求和的信，叫阿香送了去，約他在什麼地方相會的好。

　　蔡姑雖然只有十二歲的年紀，雖然讀過兩三年書，但是她的資質是很聰明的：自從她的父親遠仕他方之後，她的母親時常教他寫信去；她如今也會寫着「父親大人膝下敬稟者……女現已讀至……書第幾册……家中平安，請勿遠念……望大人保重身體爲要」的那類話了。她從抽屜裏拿出一張習小字的九宮格紙，壓在書底下戰戰兢兢地捏起一枝筆，一方面極膽小的留心着先生和同學的動靜，一方面就翻起書來偷偷地寫下去。

　　「我親愛的麟哥：你能夠原諒我嗎？我曉得你是一定能夠原諒我的。我今天眞是對你不起，累你如此的傷心。我那箇時候對你這樣的酗惡，自己也不知道是爲甚麼原故？總之，是我的性子太不好，太容易動怒罷了。其實此刻想來，我怎麼可以同你動怒

？我正應當謝你對我的好意呢！你是一番好心，特地採了我心愛的花來送給我佩帶，而我反以惡意報你，這怪不得你要哭得如此傷心了。但是：麟哥！你還能夠恕我嗎？你倘若想起以前我們兩人的相親相愛，你一定能夠恕我今天的過失了。

「你今天爲什麼不來上學，我眞記罣你得很。你不來的原因，究竟爲着什麼？還是因爲怕我告訴你母親而躱了不敢出來呢？還是你故意和我賭氣而不來的？或者你竟因此而病了不來的嗎？你如果因爲怕我告訴你的母親而不來，你的膽子實在太小了；你儘管放心，我是決不會去告訴你母親的。那時不過一時氣性頭上的話，那裏可以當眞呢？如果同我賭氣而不來，這也是怪你不來，你確是應當同我賭氣的；但是麟哥！現在你的妹妹是已經曉得自己的不是了，她情願被你打被你罵，而不情願你不理她。麟哥！你就再不要賭氣了罷！如果你是因而生了病，那麼我的罪孽是更加深了，但是我願你決不致於

生病：我祝你的身體強健和一只獅子一樣。

「我今天一個人在此地真是苦得很，平常有你在這兒，我的膽子總是很大的；今天你不來，我不知道為什麼會這樣膽小起來。陸先生的兩只黑的大的眼睛真是可怕，他老是釘住了我；這許多可惡的同學，他們看見你不來，都現出很得意的樣子，對着我作怪相的笑，那笑容裏好像這樣的說：『今天你的麟哥總不來了，我們欺侮你有誰來保護你呢？哈哈！哈哈！』唉！麟哥！倘若你以後永是不來，我不是要被他們欺侮死了嗎？你無論如何要來的喲！」

她寫到這裏，要想再寫許多道歉和訴苦的話，但是再也想不出什麼來了，她只好將牠收結起來：

「總而言之，其餘的話也不必再多講，這次的事情都是我的不是，隨你怎樣來處罰我，我都很情願的；我只願你仍舊和我要好同從前一樣，不要再不理我了！你如果真的能夠原諒我呢，請你見了這封信之後，就到園裏紫籐棚的底下等我，我們立刻來講

和罷！」

她寫完了這封信，心裏好像輕鬆了不少，前途也覺得漸漸光明起來，只是看看自鳴鐘還只有十一點多鐘，心裏暗恨距放學的時候還有長長的半天。好容易捱過了中飯（她的中餐是附在陸先生家裏的），捱過她下午三個鐘點無味的功課，才聽到放學的鈴聲，她匆匆地背着書包走回來，橋邊雖然有猢猻在那兒玩把戲，但她也如同沒有看見的樣子。

她一回到家裏之後，就走進自己的房間裏（她和阿香兩個人是住在她母親的後房的）來尋阿香；剛要想呼喚，却看見了檯子上有一個信封放在那裏，上面寫着「蓉妹親啓，麟緘」的字樣。她這時候驚喜交併的神情，顯然露出在她的眼睛裏。

「親愛的蓉妹──不曉得你還能允許我稱你親愛的蓉妹嗎？──今天我們會這樣的鬧起來，這是我萬想不到的；唉！如果我能夠想得到，我今朝再不會做出這事情來，以致於使你如此動怒的。其實這確

是應該使你動怒，好好的花兒，開也沒有開足，我
就把牠活活的採下來，這眞是最作孽而可惜不過的
，何況又是你所最心愛的呢！但是，蓉妹啊！世界
上那裏有沒有一個過失的人？只要過而能改，我想
總還可以原諒的。蓉妹！現在我是曉得改過的了，
你也能夠原諒原諒我嗎？

「自從阿香拉你去了之後：我一個人在園裏，又哭
了不少時候，我哭不是爲着別的，只是爲着從此以
後不能再同你要好了。後來我偷偷的走到我自己的
牀上睡了一忽，母親問我爲甚麼今朝不進館，我只
同她說頭裏有點痛，其實我是因爲兩只眼睛哭得太
腫了，怕見人的原故，你萬不可疑心我是在同你賭
氣啊！

「我起初以爲母親已經曉得我的事了，擔心得很，
那曉得她並沒有想起：我才知道你沒有告訴她。啊
，你眞的沒有告訴她嗎？這樣看來，你還是對待我
要好的，你那時的動怒不過是一時的生氣罷了！

「我今天一個人在此地眞是難過得很，一方面自己
固然覺得孤寂，一方面又時時念及你在書館裏不知
怎樣；平常人家看你好欺，常常要侮辱你，我總是
出力替你保護的。唉！今天我不在那裏，不知他們
要怎樣侮辱你呢！不知你也有這樣的同感麼？

「其餘的話也不必多講了。總而言之，這一次完全
是我的錯，現在我是已經認錯了：你總不該再那麼
發脾氣，你無論如何要仍舊同我要好的喲——此刻
我的手被花刺刺得很痛，不能多寫了。……」

她讀到後來幾幾乎把字跡也看不清楚，那張信紙上
也一點一點的滲溢起來；她再也不肯延遲一息，急急的
推着阿香把剛才寫好的書信送給麟哥，害得阿香嘻嘻哈
哈的笑個不住。

薄暮時候，在一個紫藤棚的**下面**，花香濃郁的中間
，一段極有趣味的悲喜劇在那兒表演着；那劇中的角色
，就是她的麟哥與他的蓉妹了。她們初相見的時候，彼
此都覺得有些難爲情，不像從前那麼天眞自然了；一種

## 28　第　二　輯

又是悲又是喜的心情盤據在兩人的心頭，使他們一句話語也想不出來談。暫時之後，蓉姑方才顫顫地問出一句簡單的話來：

——你今天好嗎？

——我是好的。你呢？……

但是這時候蓉姑再也囘答不下去，因為她的喉嚨已經梗住，她的眼睛也包滿了淚珠了。到了後來她再也顧不得什麼，像全身沒有氣力似的倒在麟兒的懷裏，率性盡量地哀哭起來，麟兒也俯下了首，輕輕撫弄她的肩頭，任一顆一顆透明的眼淚滴到她的項頸上去……

自從這囘事情以後，他們兩人間的關係，好像比從前有些不同了。從前雖然是互相愛好，但總是不識不知的，現在却漸漸的感到了你不能缺少我，我不能缺少你的地步。他們從此再不胡亂相鬧了。時光一年年的使他們長大了起來，他們倆的愛情，也與時而增加，他們的努力終於得到了他們所希望的報償。去年秋天，麟兒在 S 埠的某學校裏得着了一個敎授的位置，就把他的未婚

妻接了出來不用什麼儀式的結了婚。他們每日度着更親密更歡愉的生活，偶然想起了十餘年前那一回事，總覺得這實在是他們的戀愛史上最可紀念的一頁，雖然在別人看來好像沒有什麼特異的樣子。

一九二四年三月二十八日作於上海

39　第 二 輯

# 零　落

一

一條狹長的街道，躺在冷清清的午後的秋空之下，很現出了些寂寞的情調。秋風過處，把街邊一二株梧桐樹上的葉子，悉悉索索地吹落在地上；落在地上，又重被微風吹起，只是不息地在空中打旋，引動了幾隻小狗在向牠們一跳一躍地狂追。

住在這條街上的人家，大部都是些中產階級的家庭；又還不是純粹的本地人，大概都是些外路人遊宦此方，因而移家到這邊來的，年代久遠了，就無形中變成了本地人。然而他們都沒有恆產，所以常常遷移不定的。

那第六號門牌裏的蕭家，也是在五六年前從別條街上遷移過來的。不過自從他們遷移過來之後，除開某年夏天他們的老太太做了一次六十歲的大壽之外，從來沒有一回轟轟烈烈的舉動，只是那麼無聲無臭的，一天一

太平平淡淡地過去，所以四近的鄰舍，也幾乎把他們忘記了。

　　他們的房子雖然還大，陳設又很不俗，然而這適足以引起人家孤落寥寂之感，好像一個人將近了暮年，什麼事情都很頹唐掃興的樣子。而且在這樣的午後，孩子們上學去了，壯年的男子又遠去在他方，所以更是寂寞得難堪。偌大的一個客堂裏，只有兩個中年婦人在那裏縫紉，她們是翻頂棉被。

　　這是一種寒冬將臨的微象。大概秋風起了之後，什麼人也都不免要打幾個冷噤，而取一種收縮而畏懼的態度；所以家家戶戶，也都要把他們的棉被，或拆洗，或翻縫，預備冬來像蠶蟻一般的安睡在裏面。

　　那兩個中年婦人的容貌，顯然把她們分出了主僕的不同。中年主婦逸卿夫人，態度端莊嫻雅，有些大家風度；但是從她那微微蹙緊的眉峯，和一身舊式黑湖縐的夾衣上看來，也可以知道她並不是一個快活的婦人。立在她對面的僕婦，却比較的要粗魯得多，她紫膛色的面

32　第　二　輯

脹和一雙闊大的手，都顯出她的身體非常健康，很能盡忠于主人的樣子。

棉被是已經有些破舊了，大約是因爲年代經久的原故，所以也像一個曾經榮華而於今敗落的人一樣的使人可憐。蓮娜夫人眼看了這情景，不知什麼原故，心裏竟不知不覺的起了一層無名的傷感。

「爸媽！你看我們的棉被，都是這樣一年薄似一年，一年破似一年的，怪不得我這幾年來晚上時常覺得冷呢。」

「年代隔得久了，自然會變成這個樣子。」

「唉唉！時候過的這麼快，不知不覺，我到此地來已經有十六年了。」

「別的不要講起就是明官今年也有十三歲了。記得小時候我抱他領他的情形，好像還在眼前！」

「小孩子眞是大得快。」

「俗話說得好：『眼睛一刹，老婆鷄變鴨』。」

「但是我們的家境越變越壞，是一年不如一年！這

如何是好？」

「就是我看了也覺得難過。不要說別的，單是你們的用人，當我來的時候，上上下下一共有十幾個，不到十幾年工夫，現在只剩得我一個人了。」

主僕二人的感情似乎很親密的簡直像自家人一樣，她們一面在翻縫棉被，一面這樣悠悠地在那兒談心，她們談到這裏，忽然從外邊進來了一個着短衫的男子，便打斷了他們的話頭。金媽先看見了，她將手裏的針線在髻上一插，向那男子說：

「換碗的，你怎麼好久不來了？」

換碗的是一個磁器商人，他每日挑了一担江西的磁器，在街頭巷尾叫賣；他們磁器又不必一定要拿錢向他買，用不着的老古衣服，和旁的值錢的器具，都可以向他掉換的。所以人家也都叫他換碗的，換碗的，好像這換碗的三個字就是他的名字了。

換碗的除開做這一種生意之外，他還兼做一種攬客的職業，如珍貴的古董，名人的書畫，以至一切錫器木

34　第　二　輯

器之類的傢具，從敗落的式微的人家家裏拿了出來，去賣給新發的暴富的人家，他就從中可以取了傭錢，得到一宗豐厚的利益。因此，在那些一點一點敗落下去的家庭裏面，就常有他的足跡在那裏走動。蕭家也是他所常常走動的一家，他今天來就是想來做一些交易的。

「哦！前幾天我忙得很，所以我不得空來。」磁器商人說着，就坐在一旁的椅上，一邊却露出一種商人慣會做作的笑容向逸卿夫人問道：

「今天有生意交易沒有？」

「有是有的，我們是在這裏等你。」逸卿夫人也勉強笑了一笑地答，但那聲音裏面似乎包含了不少說不出的隱痛，好像很不情願說而又不得不如此說的一般。她說了之後，就慢慢的走到樓上，摸摸索索的搜羅了許多東西下來，那裏面有中堂的立軸，有長方的尺頁，以及單條，屏條之類的畫件；也有裝裱得很新潔的，也有古舊灰黃得不堪，被蠹虫蛀了許多洞的。磁器商人拿了這許多畫件，便變緊了眉峯，團瞪了兩眼，一幅一幅仔仔細

細地看過去，好像很能夠鑑賞這許多畫的眞僞美醜的樣
子。他一面看，一面極靈活的張開他的嘴唇，似懂非懂
的批評道：

「哦！這是戴文節的水墨山水。文節公的山水畫，
在目下固然是非常名貴；但這一幅是他的小品，而且又
署了雙款；要是能夠規模大一點，而又是單款的，那就
更值錢了……

「哦！這是任伯年的花鳥。在有清一代，花鳥畫自
以任伯年一人爲最臻上乘。不過他的名譽，是在他的晚
年才出來的。的確，他的畫確是到晚年的時候，才見出
蒼古勁秀的工夫。照這幅畫上的年月看起來，還是他初
年的作品，所以賣起來又要稍爲減色一點了……」

他又嚕嚕嗦嗦的說了許多話，然而無非是要想把這
些畫件的價值壓低下去，可以低價買去的意思。最後，
他又微微的搖着頭說：

「總之，這些書畫雖然都是名人的手筆，但可惜都
是近代的。近代的東西再好也不能出大價。你們如果有

36　　第　二　輯

唐宋元明時代的眞跡，那就再好沒有的了。」

逸卿夫人聽了他的話，對於前者固然有些失望，但聽他後來所說的，心裏也不覺爲之一動。她想來想去：以前所藏的古代名畫雖有不少，但大都早在前幾年發賣掉了，如今所存的祇剩得這些；只記得還有一軸工筆人物的手卷，那是明代畫家仇十洲的眞跡。於是她又上樓將牠尋了出來。

固然，這手卷是保存得非常珍貴，藏在一個紅木精製的盒子裏面。捲開來看時，裏面畫的是一幅「漢宮春曉圖，」那色彩的沉着，線條的美秀，以及畫中人物的嫵媚，都表示出一種名家的作風，迥非近代的筆跡所能企及。但是那磁器商人看了之後，似乎仍舊不能表示滿意，他頻頻搖着頭自語道：

「可惜！可惜！要是這眞是仇十洲的眞筆，那就是再大的價錢也可以出得。可是正因爲他的眞跡太名貴，所以後人假造的贋品也非常的多，要辨別出來是很不容易的，照這幅畫上看起來、也不十分靠得住，最大的疑

點，就是這絹底的顏色雖然很舊，而圖章的顏色却是很
新。」

逸卿夫人很不服他的議論，她極力的抗辯，她所據
為最重要的理由，是聽說收買進來的時候，化了三百多
塊錢才買來的；而現在無論如何總得在一百元左右才得
賣出。他們竟因此而爭執了許多時候。

秋天的急景是很快的過去。嬌慵的斜陽已經從牆角
上慢慢的移過去了，鄰家晚餐炊煙也也被微風裊裊地吹
度過來。磁器商人看見時候不早了，再不能牽延爭辯下
去，他只得要求逸卿夫人出一個實在的價目。

逸卿夫人按着畫件，不慌不忙的一一報了出來：

「這費曉樓的人物立軸四十元，任伯年的花鳥屏條
三十元，戴文節的山水扇面十元……這是秦淮名妓馬湘
蘭的墨蘭尺頁九十元，但至少也得在六七十元之間……
…」

「難得很，待我帶去和別人佑定了價錢再來和你講
。」磁器商人連連搖頭說着，一面用大包袱將那些畫件

包了起來匆匆的去了。

　　逸卿夫人在昏黃的暮色中間目送着磁器商人背了一大包書畫出去之後，一時心裏不覺隱隱的作痛，她只是自言自語的說道：

　　「唉唉！這怎麼好？值錢的東西一天少似一天了，看將來這些東西賣完之後，再有什麼東西來靠着維持生活呢？……」

## 二

　　這許多名人的書畫，都是他們已故的老太爺浩如先生在世時候收藏來的。

　　浩如先生以年少的才華，在咸豐年間，得中了一個舉人，後來又化了三四千塊錢捐了一個官銜，在江北淮揚一帶：曾做過幾處的縣知事，後來又放了江蘇崇明縣的厘卡捐局的總辦，每年到坐有幾萬元的收入，聲榮處貴，享盡了宦海的風味。不意當他四十多歲的時候，因為他家裏遭了一次盜刼，他就得了一種肝氣病，每逢發起來的時候異常痛苦；而且聽醫生說若不靜心調養，將

來恐成不治之疾。他從此就無心於功名利祿，在某年的涼秋時節，便辭去了職，扶着豐厚的巨資，把全家搬到了山明水秀的Ｈ城裏。

他到Ｈ城之後，在悠涼靜僻的橫河橋畔，典了一所廣大的住宅，作爲他林泉隱逸的別業。這臨河的精舍，在當初建築的時候，本來是用過一番心計的，亭台花木，別饒風趣，樓閣廳堂，更臻雅勝。自從浩如先生住了進來之後，更是大加修理，煥然一新，他又有愛花之癖，所以僱用了幾個園丁，搜求了四方的奇花異卉，極意的經營栽種，而他最愛的是蓮花和秋菊，他常說：出水的芙渠，纖塵不染，可以比之於高潔的君子；而籬邊的黃菊，經霜益傲，那又是孤介隱士的化身了。

當浩如先生在少年時代，於詩文攻研之餘，更旁及於繪事，他並不如庸儒腐生之流，以刻意模倣古人爲能事；只要疏疏的幾筆，就別有一種活潑的天機存在裏面。當時江南北的文人學士，求之者踵相接。後來等到爲政治民，因案牘勞形，對於此道不免中途荒疏。但是到

了這退隱養疴的時候，這是最適當的陶情逸興的妙品了。於是他又重理舊業，終日揮毫潑墨，描出他理想中的山河雲烟。

　　浩如先生更有一種文人的雅癖，每在花朝月夕，或詩酒興盡之餘，他總愛好瀏覽古今的名人書畫，展卷把玩，不忍釋手；寸箋尺幅之間，好像蘊藏着不盡的深意，可以在這裏低徊欣賞的一般。因此他就廣託賓朋，刻意搜羅，雖尺幅千金，亦不稍吝惜。一時遠至倪王蘇米，近至戴文節，吳伯滔，俞曲園諸名家手筆，盡收在他的書箱書篋裏面了。

　　他的求羣好客的天性，更成就了他小孟嘗的美名。而以他家資的豐厚，才學的淵博，更使他能交結了四方的文人學士。當薰風送暖，蓮馨花開滿了池邊，或是天高氣涼，秋菊放遍了庭前的時候，他便欣然色喜，豪興勃發，於是便廣邀賓朋，聚在他新建築起來的亭子裏，或是尋章覓句，歌咏風花雪月的妙景；或是論畫觀書，評古今來藝苑的勝事。當時海內的知名之士，如江都的

蒲竹英，泉塘的徐香海，鴛湖的潘雅聲……都成了他座上的嘉賓。記得有一年，蓮花開了雙心，他以爲這是祥瑞的徵兆，喜極若狂，便廣聚親朋，徵歌設筵，痛飲了三晝三夜，眞是極一時遊宴之盛。

那時候他們家裏眞是熱鬧，雖沒有鐘鳴鼎食的氣概，但是一家內外，上至兄弟子姪，姑嫂妯娌；下至僮僕奴婢，園丁廚役；以及客居寄食的遠親近戚，講學授句的敎師，共計起來，不下四五十人之多，食必數斗，居多豪貴；而每到了歲首年終之際，合家長幼，歡聚一堂，紅燭輝煌之下，映射出一股香暖融融之氣，浩如先生便拈鬚微笑，顧而樂之。

這樣歡樂的日子過了好幾年，而浩如先生的舊病依然時發時止，且更是一次加重一次，到了他五十一歲的那一年，在一個昏悶的炎夏之中，竟一病不起，可憐他是不能再在這美滿的人世間留連，他是再不能樂享晚年優遊林下的生活了。

那時候浩如夫人眞是傷心已極，她一方面旣痛惜丈

42　第　二　輯

夫之早亡，而自悲形單影隻之苦；他方面又慮到家庭將來的境況，茫茫來日，將不知落到怎樣的地步，她的唯一的愛兒逸卿，還只有十多歲的年紀，要望他能繼承父業，還是渺茫得很；而且她因十分痛惜愛兒的原故，也不願使他早早出而與世俗相周旋。而浩如先生的胞弟，又連年客居滬上，揮金如土，浩如先生死後遺留下來的十餘萬積蓄，數年之間，不難蕩盡。然而浩如夫人為着顧全門面，不肯落人鄙夷的原故，所以當時家裏的用度，也不因此而減低。

年復一年的過去，他們家裏漸漸的現出了凋零的氣象，園裏的薹草長到了幾寸，樑棟上滿結了蛛網，亭子的欄干折了，也只任牠被風雨浸蝕。而在這幾年之間，他們家裏的人，死的死了，嫁的嫁了，奴僕都去換了別家的主人，以前的親戚朋友們也都漸漸的疏遠了；只有被聘請來教讀逸卿的一位老先生，還終日冷清清地坐在花廳裏，更增了一昧寂寞的情景。幸虧不多幾年之後，浩如夫人就為她的愛兒娶了媳婦，家庭之間，又稍稍增

了些熱鬧。然而因爲年來經了幾番的婚喪大事，所費的資財，已耗去了不少，和以前的全盛時代比較起來，大有不堪囘首之嘆了。這正如一盞孤燈，永不去增加一滴油，而通宵盡量的點着，自然只會一刻一刻的乾枯下去，以至於油盡火絕。

　浩如夫人眼看着家道如此一天一天的敗落下去，更囘想到昔日榮華的盛況，她常常一個人私下滴淚。她也曾經命她的兒子和他人經營過幾次的商業，第一次是和幾個日本的僑商在本城的大街上合辦了一個洋貨商店，第二次是和某絲繭商人合股經營了一個絲行，第三次是浩如夫人獨意的主張，投了幾千元的資本囤積了大批的豆油。然而他們不知道世途的險惡，人心的奸詐；人家却都利用了他們的柔弱無能，任意的欺詐吞沒。所以他們經商的結果，非但不能生利，連拿出去的血本，也難得能夠收囘來。

　蕭殺的秋風漸漸吹來，革命的聲浪也跟着傳到 H 城裏，時而某地起義，時而某地暗殺；全城的居民都漸漸

現出不安的現象來，紛紛地逃避他往。橫河橋畔的兩岸，尤其是陰森可怕，好像又回復了長毛時代的光景。這時候他們家裏眞是驚懼得可憐，逃避呢，旣畏土匪的搶刧；住在省城裏又怕流彈的飛臨。而在這樣風聲鶴唳的時候，省城裏一家最大的裕康錢莊不意也倒閉了，經理人不知去向，他們存在那裏的僅僅一二萬元的財產，也都如同丟在大海洋裏，再也沒處撈囘。這於浩如夫人全家的命運是一種如何重大的打擊！

那一次H城裏的革命運動，並不曾接一囘仗，傷多少兵，就很平穩地成了功。他們所典的住宅的主人，本是清末的大僚，那時却變成了民國的罪人，房屋田產，都歸抄沒公有，因此他們也間接受了影響，這一所富有詩情畫意的庭院，再不容他們的安居了，於是他們不得不將全家遷移到距離不遠的一條冷落的街巷裏去。

他們自從遷移到那條冷落的街巷裏以後，房屋固然比以前狹小簡陋得多，一切規模局面，也頓時減縮了，以前的許多靡費的應酬，現在都從省略了；以前的許多

徒示闊綽的僕從，現在祗剩了一個傭婦金媽了。然而他
們每日的用度，却只有比以前增加。自從逸卿夫人來了
他們家裏以後，不到十年之內，男男女女的小孩子，憑
空添出了五六個來，到如今大的有十多歲，小的也有三
四歲，大的要教育，小的要哺養，這一貧如洗的家庭，
怎麼再能担負得起！

　　蕭逸卿這時候也到了三十多歲的年紀，以理而論，
正是年富力強，可以重振門庭的時候。然而他自幼卽生
於安樂，不知稼穡之艱難；更因浩如夫人的寵愛，未曾
經過青燈綠窗的苦功；所以雖已到了中年，還是依人碌
碌，所得來極微的佣金，也只夠做他自己無謂的揮霍。

　　浩如先生在世時辛勤積蓄下來的一點財產旣然蕩盡
了，旣沒有房屋田地，又沒有中興人材，這雨風打吹中
的家庭，便不得不在一種特殊的形式之下生活。那時候
他們的用費，就全靠了那許多名畫和古物來支持：今天
吃一幅中堂，明天吃幾幅屏條，今天吃一個萬歷年間的
古瓶，明天吃一個乾隆時候的名窰，有時也會吃到皮袍

皮襖，以及浩如夫人逸卿夫人的金銀手飾。他們竟這樣的牽延了四五年的光景。

## 三

時分已經到了夜深，二更打過了，三更也正在遠遠地敲近了，靜寂的冷街冷巷裏，只有一二盞慘淡的街燈照着幾隻野狗的孤影。人家的門戶都已緊緊地嚴閉。這正是老少男女，安枕熟睡的時候；這也是富主貧兒，一樣安樂的時候。

這時惟有逸卿夫人和同她形影不離的金媽還不曾去睡。昏暗的屋子裏面，一盞如豆的油燈，照在她們兩人的身上，糢糢糊糊的有些看不分明。只見她們懶懶地在那兒做着女工，逸卿夫人是在補一條小孩子的夾褲，金媽却在一針一針的穿鞋底。她們大概都有些倦意了，只是默默地沒有甚麼聲響，偶然有一二句談話，也是爲着想快些得到安睡而發的。

「哦！已經在那兒打三更了！老太太爲什麼還不囘來？」逸卿夫人聽了遠處的更聲，很担憂的說。

「老太太眞是歡喜賭牌，總是三更半夜還不肯息的。」金媽接着有氣沒力的應着：「弄得我們也要這樣落夜。」

「落夜還是小事，要是今晚上輸了錢，又要不得安逸呢。」像驚弓之鳥的逸卿夫人，今晚上似乎又得了一個不祥的暗示，她竟有些縮地不安起來。但金媽只管穿自己的鞋底，並不去回答她──不是不肯回答，她是怕使逸卿夫人因此而更起杞憂。

女人一到年紀老了，丈夫死了之後，她的心理慢慢的會和從前不同起來。以前的心裏只一意對付着家政的整飭，兒女的養育上，而後來却漸漸的感到了人生的無常與寂寞，未來的日子是一天一天地減短，而墳墓却一天一天的接近，這是多麼可怕的前途，於是她們自然而然的想出許多方法來，或是皈依菩提，追求着來世的幸福；或是竹林尋樂，消遣着有限的光陰。

現在人家都稱她老太太的浩如夫人也是這樣，她到

48　　第　二　輯

了五十多歲的時候，就漸漸的斷絕葷腥，長齋禮佛。夏日的午後，涼秋的早晨，靜寂幽閑的廳櫳裏面，南無阿彌陀佛的聲音，時常隨着一縷烟香裊裊地波傳出來，人家聽見了，也會把雜亂紛繁的心情，剎時獸化靜化。然而在別一方面，她又酷嗜一種竹牌之戲，她常說：「我們年紀老了，活在世上的時候不多了，應該尋尋快活，消遣消遣……」因此她時常歡喜走到親戚朋友家裏，和那些閒着沒事做的太太少奶奶們賭賭竹牌，起初不過弄着玩玩，到了後來，竟連日連夜的當一件正經事幹起來了。

　　浩如夫人的眼睛已經有些老花，看東西不大清楚，這於賭竹牌是一種極大的阻礙；而年輕的後輩，非但不肯照顧她，反而時常去欺弄她，她是常常被人欺弄而敗北的。但她表面上依舊很高興，她常以為輸出了幾個錢而能換得許多快樂，也是值得的。她們家裏近來的日用，已經是前吃後空，勉強的在那兒維持，那有這許多錢來供她耗費？所以她鏡台抽屜裏的一點古老手飾，年來

也一件一件的少了下去。新近有朵珠花，託了一個珠寶
商人賣了一百多塊錢，也被她輸得差不多模樣了。

　　浩如夫人和逸卿夫人婆媳之間的感情本不甚好，有
些人說她們性情不投，有些人說她們生肖相衝；但歸根
究底說來，還是因着經濟困難的原故。浩如夫人時常怪
逸卿夫人命運壞，說自從她進門之後，家道便一天一天
的敗落下去，說她是一個敗家精。近來更因在外面賭牌
的輸錢，心裏總不免有些悵恨，這一種積蓄在心裏的悵
恨，回家之後，就在逸卿夫人身上來發洩。


　　萬籟俱寂的深夜之中，忽聞有一種轎夫的呼喊聲自
遠而近。逸卿夫人的感覺非常敏銳，她知道一定是浩如
夫人在回來了，便連連的推着金媽，金媽從磕睡中驚醒
轉來，接着就是一陣的敲門聲，她們兩人急急地照着洋
油手罩出去開門，轎子息下，浩如夫人默默地跨了出來
，逸卿夫人照例的叫了一聲：

　　「婆婆！」

　　浩如夫人並不應，只管朝自己的房裏走。逸卿夫人知道有些不妙，然而她也只好朝裏跟，她這時眞是爲難極了，開了口恐怕要遭罵，不開口恐怕也要遭罵，但她終於柔聲的開口了。

　　「婆婆今天贏了還是輸？」

　　浩如夫人起初並不理會，待到她慢慢地在椅子上坐定了，忽的將臀部一癟，發出了響亮的聲音，恍如晴天的一個霹靂。

　　「滾出去！你這敗家精！你來管我麽？我贏我自己的錢，輸也輸我自己的錢，於你有什麽相干？現在眞是無法無天了，媳婦管起阿婆來了，你不準我賭麽？你怕我輸錢麽？老實對你講，我就是將家裏的錢一起輸光了，也沒有你說一句話的分。」

　　逸卿夫人知道今晚上的大禍又將發作了，她很懊悔剛才那一句不識時務的話，但已來不及收回，她只得低聲的道罪求恕：

　　「婆婆，我怎麽好管你呢？只有你來管我的。我剛

才那一句話並沒有甚麼存心，望婆婆不要多心了！」

這時候金媽已將大門關好了，角角落落也都去照過了，總倒了一杯濃茶進來，勸浩如夫人暫平平氣，逸卿夫人便趁勢的脫離了出去。

「老太太！何必要這樣生氣呢？少奶奶也並非有心問出來的。時候已經不早了，老太太也怕倦了，還是早點安息吧！」

金媽雖是極力的勸慰，但浩如夫人似乎越罵越有性子，她一面喝着濃茶，一面仍是提高了尖脆的喉音繼續的罵：

「怪不得：我回到家裏總是受氣，你們主僕兩個人，一天到晚鬼鬼祟祟的談談天，有起事情來大家幫幫忙，你們真想把我這老骨頭害死為止麼？……

「不知道什麼原故？我一到人家家裏覺得就散心，那些少奶奶小姐們，都把我當作自家人看待，什麼事情都照顧得周周到到，又是有說有笑的。那曉得回到自己家裏，一見了你這種板板六十四的面孔，就使我老大的

52　第　二　輯

不高興，一股氣就要往上衝。唉！我前世不知道作了甚麼孽，討了這一個鬼東西進來，……

「你真像一個鬼！做了個女人，頭也不知道梳，衣服也不着得整整齊齊，你以為這樣算裝窮嗎？你裝把那一個看？老實說，我們家裏弄到現在這步田地，就是你這樣裝出來的……」

「活到了三十多歲，還是一點事情也不懂。不該用的地方拼命用，該用的地方倒要省，前天老太爺忌日：錫箔只燒了這一點，啊啊！現在連祖宗都不要了，將來我死了之後，恐怕連錠也不燒一個，經也不念一句了！哼！你將來怕不入十八層地獄！……」

浩如夫人逞着一時的氣興，這邊想一句，那邊想一句，正如決了黃河之口，滔滔地罵個不休。逸卿夫人只是在房裏吞聲飲泣；熟睡的小孩子也驚醒了，嗚嗚地啼哭起來。這時候浩如夫人的謾罵聲，逸卿夫人的哭泣聲，小孩子的啼號聲，都混雜在一起，在這樣更深夜靜的空氣之中，分外覺得嘈雜而響亮，驚醒了睡夢中的鄰家

男女，也爲之怨憤而不快。

　　過了一息，浩如夫人自己也覺罵得沒昧起來，再加以一日在外的辛勞，身體也十分的疲乏了，便慢慢的歇住了聲音，整整被擁去睡了。

　　夜深了，四周依舊歸於寂靜，只逸卿夫人還一個人在床上嚶嚶地啜泣。她自小在家庭裏嬌養慣了的，可憐自從嫁了過來之後，十餘年之中，沒有安安逸逸度過一天，先前爲養育兒女的事情所苦，後來在多難之秋，操持家政，更費盡了苦心苦計，還要時時受婆婆無理的呵責。她想起家中值錢的東西一天少似一天，想起了丈夫在外邊是昏昏沈沈地在那裏度日，想起了這許多兒女將來大起來如何敎養……想起了這些，心頭如針般的刺，石般的壓，再也不安心睡去。這漫漫的長夜，將如何消度過去呢？

## 四

　　秋光如駛，不久重陽節也過了，片片的風，絲絲的雨，都帶了蕭條的寒意送到江南。有錢的人，都紛紛競

54　第　二　輯

製棉裘皮裘，一來以防禦冬來嚴風的浸逼，二來以誇示富貴於人間。但是貧兒寒士，到此便不免要攝縮畏懼起來，他旣不能消度如此飄零的殘秋，而茫茫的來日，又無以設法善處，這是何等悲哀絕望的境地！

有一天的下午，逸卿夫人正坐在自己房裏縫補舊衣的時候，看見她的大兒阿明從外邊放學回來，是很沒精打采地蹦蹋進來的；神色頹喪，眼睛裏也包了些眼淚，走進來一聲也不響的呆着。她看見他這種表情，知道他又受了甚麼委曲的事了，便低聲的問他說：

「阿明，你爲甚麼這樣不開心？」

「我……我……我沒有什麼……」明兒費了許多的力氣才能回答出來，似乎想壓住一件什麼東西的樣子；然而終於壓不住，他說到最後一個字，竟禁不住的放聲哭了出來。

「啊！你究竟有甚麼難過的事，你對我講罷！」逸卿夫人看見他的兒子哭了，更引起了無限憐惜之情。

「媽媽！你……你看我這件長衫，又是破，又是短

— 80 —

的；這幾天人家都穿了夾袍子，有的也穿棉袍子了，而我還是這件單長衫，人家都在笑我，說我像一隻剎皮狗，說我是凍不死的小鬼。我又是冷，又要被他們譏笑……」明兒哽咽著吃吃地說給他的母親聽。

「夾袍，我前幾天早同你說過，我想把你祖父的那件絳色團花袍子給你改，你說恐怕穿出去被人家看了說笑話，又不願意。——哦！你現有冷嗎？你快加衣服……」逸卿夫人一邊在衣櫥裏取出一件舊棉襖來加在明兒的身上，一邊繼續說道：「這幾天就是這樣穿穿吧！人家笑也只有由他們笑，不要去理會他們。等你爸爸有錢寄回來的時候，再替你做新的。」

「爸爸不知道幾時有錢寄回來呢？」

「他大約這個月底總有得寄回來了。」

真的，逸卿夫人近來唯一的希望就是這一件事了，她在經濟困迫的時候，也惟有將這一種希望來安慰自己。但是自從蕭逸卿今春出門之後，到於今已經有七個多月了，從來不見有分文寄回家來。逸卿夫人時常寫信去

訴苦，說近來柴米伙食的費用如何的拮据，說兒女們的衣服如何的缺少……而蕭卿逸的回信，老是託故推委，或是說在外邊朋友之間的應酬如何浩繁而不可省，或是說目下手頭如何艱窘，且待下月再行匯上；而逸卿夫人竟深信不疑。所以每次門鈴響的時候，她總以為是郵差；每次郵差來的時候，她總以為是滙票的掛號信；但望斷天涯，仍是音信杳然。

　　過了幾天之後，在一個黃昏薄暮的時候，晚秋的斜陽很快地抹過屋角而去，夜幕漸漸地覆下來了。逸卿夫人和金媽正在灶間預備晚餐，忽然一陣急迫的門鈴聲自外傳來，忙去開時，只見蕭逸卿匆匆地走了進來，顏色灰白，精神頹喪，好像是久僕風塵，備嘗艱辛的模樣，後面還跟了一袒行李。倒把逸卿夫人愕然的呆住了，她張大了兩眼驚訝地問：

　　「哦！你怎麼回來了？」

　　「我回來了。」

　　「你來了還要去嗎？」

「我不去了！否則我為甚麼要把行李都撥回來？」

「你什麼原故走了的？」

「啊啊！一言難盡！一言難盡！」

蕭逸卿連連搖頭說着，一面就頹然的倒在一張藤椅子上，只管默默地吸着旱烟，他好像是一個戰敗陣下的潰卒，不願再提起他傷心往事的一般；他又好像一個悔罪被逐的流囚，雖欲改過自新而不及的一般。可憐自小安居逸樂，不知人世間有哀苦事的蕭逸卿，到如今才嘗到了這現實生活的一道真真的實味──這是多麼使人絕望，使人將青春時歡樂的幻夢覺醒，而恍然悟到人世的真相呢！

逸卿夫人看見她丈夫這樣懊喪的神氣，她心裏猜：或者他是因為做錯了甚麼事而被人撤職？或者是和同事衝突了而負氣出走？……但她也不再追問下去，仍舊囘到廚房裏去燒飯了。從此後她又多了一件隱憂，滙票的掛號信既然絕望，家中又增了一個閑坐吃飯的人；到了一旦粮盡米絕的時候，又將如何？還是帶了兒女去沿門

58　　第　三　輯

乞食呢？還是一家八口活活的餓死不成呢？……

　　蕭逸卿回家後的第二天的晚上————在晚飯剛吃之後————他們家裏開了一個家庭會議。這一天浩如夫人也沒有興致出去，全家的人都聚在客堂裏，暗淡的煤油燈比往日更覺無光，似乎有意在助長這屋裏的愁慘的情調一樣。昏黃的空氣裏面，只看見浩如夫人和蕭逸卿坐在一旁的椅子上，逸卿夫人抱着三歲的嬰兒坐在對面的椅子上，幾個小孩子在她的旁邊圍着————她們似乎看出了這兩天來大人們的面孔多不快樂，所以也都默默相對，沒有往日的吵鬧了。

　　「逸卿！你究竟主張什麼樣呢？」我們這樣下去終究不是長事。」浩如夫人將吸着的水烟暫停，愁眉不展的對她的兒子嘆了一聲。

　　「真的，我們這樣下去真是不得了呢！現在家裏值錢的東西差不多要吃完了，房租已經欠了三個月，前天房東來，好像要我們搬房子的意思，再這樣下去，恐怕我們只有餓死在露天底下了。逸卿！你無論如何總應該

快些想點法子！」逸卿夫人不待蕭逸卿的回答，先搶着
補足浩如夫人的話。她本來在浩如夫人面前不敢大發議
論的，但今晚上她加了十倍勇氣。

「是的，我已經有了主張，你們不要急！」蕭逸卿敲
着旱烟管，很緩慢的說：「我已經有了主張……」但是他
又把下文停住，泰然的對着一圈一圈的烟氣凝思，好像
有了少神祕的妙計蘊蓄在心裏。

「說！有什麼主張，你快些說！事到如今，還可以
這樣耐性子嗎？」浩如夫人忍耐不住了，大聲的催着她
的兒子，於是蕭逸卿才放下他的煙筒，毅然的說道：

「我的主張，就是我立志要出遠門。」

「到那裏？」逸卿夫人來不及的問。

「到北京。北京不是有不少親戚朋友，在那裏得發
嗎？我想到那邊去無論如何總可想點法子。」

「真的麼？你真有這樣的胆量到北京去？」知子莫若
母，但今晚上蕭逸卿的這種大志，竟出於浩如夫人的意
料之外了。

「自然去。我是立定了志向去的。」

在以前，湘如夫人對於蕭逸卿：即在百里以外的鄰縣，也不放他出去；但是到了這兵敗糧盡之秋，也不得不委曲聽從，她表示着同意；同時嘴角上也露出了一痕慘淡的微笑：

「那倒也好。志超表兄聽說現在財政部裏當差，你可以去託託他。」

「那麼我們怎樣呢？我們再過下去祇得吃棹椅板橙了！你到了北京也不一定馬上就有事，而我們的家用怎樣也維持不到年底。」逸卿夫人急了，她聲淚俱下的說。小孩子在她們的懷中也啼哭而和之。

「你們，我也替你們細細的思量過，不過這實在是萬不得已的辦法。」蕭逸卿將心中的妙計慢慢的說了出來：「我想，你們暫時還是分散吧！媽媽，你可以到姨母家裏去玩幾個月，姨母來信也很盼望你去叙叙呢！」他又對着逸卿夫人說：「你可以暫時囘到你父母家裏去寄住，兒女們也帶去。等到我將來得發的時候，再把你

們統統接回來同住」。

這一番出於意料之外的議論，竟把逸卿夫人聽得呆住了，她不知道怎樣回答的好。浩如夫人也搖頭微嘆，默默地無話可說。她雖然時常想到她十餘年久別的老姊姊那裏去頑頑，他的老姊姊也時常有信來希望她去叙叙，但是以這樣的名意去寄住，也未免太失面子了。

這一晚他們會議的時間很長，一直到二更打過還不曾停。會議的結果：是蕭逸卿赴京謀職；逸卿夫人回娘家暫住；浩如夫人的老娘家已經沒有人了，只得寄住到她的老姊姊家裏去；大孫女是浩如夫人生平最歡喜的，讓她跟去陪伴祖母；其餘幾個小孩子都跟母親回外婆家；只剩下明兒仍留在本地，遷移到高小學校裏去寄宿。

## 五

人到了山窮水盡的時候，即使他的性情再懦怯柔弱不過的，也會挺一挺胸，振一振臂，和前面橫臥着的生活的惡魔作一回最後的奮鬥的，所以這一次蕭逸卿也有破釜沈舟，背水爲陣的氣概，再不如以前那種苟安姑息

62　　第　二　輯

的性情了。在那次家庭會議將各種困難的問題像快刀斬亂麻似的解決之後，不多幾天，他就摒擋一切，攜了一肩輕薄的行裝，在霜嚴風緊的初冬，便踏上了天涯飄泊的路途。

蕭逸卿去了之後，他們家裏就日形忙碌起來，走進走出的閒雜人等也一天多似一天了。一方面兼做掮客的磁器商人，因為一個人忙不轉，便介紹了幾個同業，僱用了許多脚夫，預備做一次大批的交易；他方面姑太太姑少奶奶以及從前在他們家裏當差過的舊僕，聽得他們要搬動，也都過來幫忙，兼可以乘間撈取一些零星雜用的器具。

這幾天逸卿夫人真是忙個不了，她恨不能把自己的身體化做幾個，才可以各方面去應付；她一忽兒要收拾自己要帶到娘家去用的東西，一忽兒又要和幾個市儈的掮客爭執貨物的好壞，酬酢價目的高下；忽而又要提防到他人的乘勢竊取……可憐她終日拖了一雙零丁的小脚，從樓上到樓下，從大廳到廚房，只是跑進跑出的不停

她這時候心裏也只有想着一張紅木櫈子應該出多少價目；一付錫蠟燭台至少須多少錢才可售出；或者那一件器具將來一定要實用到，非帶去不可；那一件東西還值些錢，決不能讓人家強行占去——所以到了這家敗人亡的慘境，也不覺到有甚麼悲哀和苦痛。唉！她倘若這時候將外界的事情暫時丟開，回復了清明的自我，去追想追想過去的哀史，看看目前的慘狀，再逆料到未來的險途、她定要痛哭而失聲！

浩如夫人近來的行動也漸漸和以前有些不同了。親戚朋友家裏固然絕了跡，罵人也不大罵了，而且待人接物，更是柔和可親，連逸卿夫人和金媽都有些莫明其妙起來。她終日只是默默地在房裏收理一切雜物，將用得着的東西疊齊在大箱子裏面，用不着的舊衣舊裙之類的東西，都送給了幫忙的僕人們，僕人們都很快活地感謝她。她看着逸卿夫人實在忙不過，有時候，也過去幫她的忙，將逸卿夫人要用的東西都一一替她歸到箱子裏去，有一次，她將以前一個鄉下朋友送給她的兩匹棉綢，

64　　第　二　輯

偷偷地放在逸卿夫人的箱子裏，不意被逸卿夫人在旁邊看見了，

「婆婆！這是華奶奶送給你的，怎麼放到我的箱子裏來？」

「你拿了用好了！這一點東西你拿去用好了！」

「婆婆自己為什麼不用？」

「我老了，用不到添新的衣服。你孩子多，將來把他們添添衣服也用得著。」

「那麼婆婆自己拿一點去吧！我們用不到這麼多。」

逸卿夫人再三的推却，而浩如夫人硬要她把牠擺在箱子裏才得安心，到了後來，逸卿夫人終於只好受了下來。

年老的人精神究是不好，一做事就要疲倦。浩如夫人這幾天做這樣做那樣很是忙碌，所以也就不免要時時休息，初冬的太陽已經漸漸覺得可愛起來，雜亂的廳堂中，歪斜地放着的太史椅上，她常常坐在那裏曬太陽光。那時候廳堂上所掛的書畫匾額都收下來了，四壁只是

一片空虛寥廓；以前擺得整齊有序的桌椅凳几，有的
已經被人抬去了，有的斜欹橫臥着，有的被扛搬夫正在
那兒捆縛；而木箱、衣架、牀榻、舊書、洋燈、瓶罐之
類的雜具，更隨處的零亂雜攤，好像是經過兵災的荒村
，遭過土匪的孤舍……浩如夫人用了她朦朧的老眼，東
西張望，頻頻搖首，有時只是閉攏了眼睛，默默地念着
南無阿彌陀佛、救苦救難、觀世音菩薩……

　　門外又是一天清冷的好天氣，十月中旬的午後，陽
光不暖不熱的平鋪在地面上，寥廓的蒼空，更覺得澄明
而悠遠；一陣一陣的微風吹過，把庭前花壇上的小草也
颯颯地搖擺不定。浩如夫人正在廳堂上閒坐，雖然四周
的情形非常雜亂，但也不知不覺的被那一種秋冬交界時
所特有的情調所引住，她正在對天井上一角的蒼空出神
，一轉眼間，她看她的孫兒阿明背着書包回來了。他那
健康的身體，微紅的雙頰，明媚的眼珠，和一頭漆黑的
濃髮，今天似乎也受了這大自然美好的感印，分外覺得
活潑可愛。白髮的祖母，也不禁為之心曠神怡，她眉花

66　　第　二　輯

眼笑的遙遙向他呼着：

「阿明！你今天放學放得這樣早？」

「學堂裏還沒有放哩！我因爲你們就要搬到別地方去了，特地請了假早些回來看看的。」明兒究竟年紀小，不知家敗人散的痛苦，反覺得這幾天忙忙碌碌的有趣；而且自己不久將要搬到校裏去住，新鮮的生活在前面等待他，所以他這幾天連讀書也沒有心思了，上課的時候，只是想回到家裏來看紛繁雜亂的情形。

「哦，你請假回來的嗎？這幾天就讓你去頑頑吧，將來等我們去了之後，你要好好的在學堂裏用功。」浩如夫人輕輕地捏住了明兒的手，柔和的眼光只是對着他呆看，好像對於他的將來有無限的希望，而又不忍遽然舍去他的樣子。「寶寶你眞是要好好地用功呢……」她說到此地，正想再往下說，恰恰幾個扛搬夫費了極大的氣力，把--具紫檀木的衣櫥抬出門去，浩如夫人似乎不忍再看，她微微搖着蒼白衰皺的頭顱，指點着那具櫥對明兒說：

「唉唉！你看！這具櫥還是你祖父在崇明縣當捐局總辦的時候所購置的，我和牠幾十年沒有離開過，不料現在竟會落到別人家手裏去……」

她又指着一面金邊而雕刻花紋的大眘衣鏡，對明兒說：

「唉唉！這一面着衣鏡也是你祖父經過上海的時候買來的，那時候外國貨眞是貴，聽說這還是從德國來的呢，所以牢固得很，到如今已經有二十多年還不曾壞。唉唉！不料現在也落到人家手裏去了……」

她又指着一張楠木的長方形的書檯向明兒說：

「唉唉！這一張書檯還是你的祖父搬到此地來的時候買的，祖父曾經在這張檯子上畫過不少的畫，寫過不少的字；自從祖父去世之後，就少有人去用過。唉唉！不料現在也要給人家用了……」

「唉唉！這許多東西都被別人家拿去了……」明兒靠在祖母的身旁，一面顫聲的答應着，一面不自覺的將他的小手揩自己的眼睛。

68　　第　二　輯

「這都是我們的家運不好，以致於敗落到這步田地，所以你以後應該上緊用功！你的父親現在還這樣不得發，也是因爲從前不肯讀書的原故。」

「奶奶！你說的話我總聽你，我以後一定用功讀書了。」

「乖孫子！你肯用功讀書，將來我望你好好的成家立業。」

「奶奶，我將來能夠賺錢的時候，定把你接囘來……」

「唉！我年紀老了，等你會賺錢的時候，我怕不會看見的了。你只要將來能夠重振門庭，爭我們蕭家的一口氣，不要再被人家見笑就好了！我就是在陰間，也是覺得快活的。」浩如夫人更緊緊地捏着明兒的手，露出了微微的笑容，但這笑容裏似乎有一味寂寞的哀意含在裏面。

「啊！奶奶！你爲什麼要講這樣話？我想你一定能夠看得見的！我想你一定能夠看得見的！……」明兒張

大了兩隻淚眼，對着她的祖母狂叫，講到這裏，他再也容忍不住了，便撲倒在祖母懷裏，嗚嗚咽咽地大聲哭泣起來。浩如夫人的老淚，也不自覺的一滴一滴地掛在她蒼皺的兩頰上。

「乖寶寶！你不要哭！你不要哭！但願得菩薩祖宗的保佑，使我能夠多活幾年，能夠有一天看到你把家門重振起來……」

「奶奶！你去……你去了之後，要時常寫信給我的啊！」明兒哽咽着含含糊糊地說。

「我寫信給你，我寫信給你……你在學堂裏寒暖吃食第一要當心……你如果沒有錢的時候寫信來通知我好了，我……我無論如何總可以寄你一點的……」白髮的老祖母的聲音也斷斷續續地聽不分明。

## 六

離散的日子是一天一天的拉近來：那些值錢的東西差不多已經賣完了，不值錢的東西也都在別處寄委了，親戚朋友們所設餞行的酒也吃過了，各處所欠的賬也都

70　第　二　輯

還清了，而且房主人也派了兩個管家來看守，好像不准他們再多日停留，無形中在那兒下逐客令了。

這幾天興致最高不過的，就是那幾個十歲左右的小孩子，她們還沒有了解人生的哀苦與命運的險惡，只一意以為將有新生活的享樂，有許多未曾接觸到過的奇跡將可發現，跳來跳去，一刻兒也不停息，時而要她們的哥哥放假時候去玩，時而姊妹們中互相興悔地議論將來的生活，外婆舅母如何的愛她們，表弟表妹如何的歡迎她們；時而又硬要要求金媽陪伴她們同去，待到金媽說出不能和她們同去時，她們又眼淚汪汪的不樂起來。咳咳！她們何嘗知道大人們這時心內的苦痛呢？……

逸卿夫人連日的忙碌，倒不覺得怎麼，到了後來，各種雜務一步一步的安排定當之後，痛定思痛，更覺得前塵後影，有不堪回首之嘆，只有一泡孤冷的眼淚，可以聊洩她的愁懷。她知道兄弟雖有同胞骨肉之情，但常久的閒居寄食，終非永久之計；她知道嫂嫂的為人，素來是刻薄客嗇，日後相處，不免要受其冷嘲熱諷；她知

道娘家的傭僕，難免炎涼勢利之徒，如今帶了這許多兒女去相擾，定多爲彼等奚落……在先前，浩如夫人呵責謾罵她的時候，她每有避囘娘家的念頭，想和她的父母兄弟訴說積年來所受的痛苦；但到了現在，覺得娘家也不是她的安身之所。而且浩如夫人也大不像從前的橫暴，換了一副溫和的面目；反而覺得她年老受苦的可憐，極不忍遽然離開她，使她的暮景蕭條，一至於此。但事實那能隨人心願？時間也是不稍待人的惡魔，到了十月中旬的某日，就不得不使他們一家傷離泣別，使一個先人費了許多苦心孤詣創建起來的家庭全歸於烟消雲散。

　　浩如夫人的姊姊家在姑蘇臺畔，而逸卿夫人的娘家本在鄰近的若溪，現在因爲她哥哥在上海經商，所以全家也都僑寓在那邊。自且城至上海，蘇州，本有鐵道相通，是順路，但浩如夫人因年高胆怯，而且帶了不少的東西，火車上下，很多不便的地方，便改道舟行——只要一隻湖雪快，搖到拱宸埠，就可由內河的小汽輪直拖到蘇州——不過她們旅途的方向雖然不同，而離散的時

間，却同在一日之中，而且又同在一個時間之內。

　　收拾行裝，整理用具，足足的忙了一個通宵。次日早晨，天還沒有大亮，門外就熙熙攘攘的熱鬧起來，轎夫，扛搬夫，都一個一個的到齊了，好管事的閒人，也好像預先知道了這一囘事的樣子，比往常特別的起得早，都探頭探腦的在門口張望，有指點着那廳堂上的兩大堆行李，交頭接耳地在那兒紛紛議論的；也有伸頸延望，微微搖首，似乎在那裏慨嘆唏噓的；也有斜着兩眼，低聲冷笑，在那兒幸災樂禍而自鳴得意的……

　　車站和船埠頭是兩條不同的路，所以她們在自己大門口就要各人走各人的道路了。逸卿夫人看看各種事情都準備定當了，而且八點鐘的快車也要急於趕上，再沒有牽延的時間，便走到浩如夫人身邊去辭別，並且也催她上道：

　　「婆婆我們可以走了吧！」

　　浩如夫人因忙碌過度，又受了些風寒，這幾天有些微微的傷風，不時的要咳嗽，所以到了這時候，她還緊

在自己的房裏，不知道在想些什麼。有時呆望到天空，天空中只是滿佈着陰沈的愁雲；有時環顧到室中，室中空無所有，只有零散的棄物在與故主依依惜別，沒有一件不是催人下淚的資料，更沒有一件不使她把往年的事跡像旋風般的在面前掃過。這時聽到逸卿夫人來催她上道，才如夢一般的抬起頭來：

「走的時候到了嗎？唉！什麼也我不想走！………」

「婆婆，你是不是身體不大舒服？咳嗽好了些嗎？」

「身體倒沒有什麼……」

說到這裏，她們兩人都默然了，好像有千言萬語不能傾吐的樣子。過了一息，浩如夫人自言自語的說：

「唉唉！不料我們竟有這樣的一天！」

「婆婆！事到如今，也只有聽天由命了！」

「唉！我是老來苦！」

「婆婆不要過於傷心了，我們將來總當有團聚的一天。」

「我怕是看不到了……」

「我想總不會如此吧！婆婆！我以後天天禱告菩薩保佑你……」

浩如夫人的白頭慢慢地垂了下去，如同秋後的一株枯楊，似乎再沒有抬頭的勇氣。「唉唉！少奶奶！我眞不願意離開你，我從前對不起你的地方，望你再不要掛在心上！」她說着，又是一陣咳嗽。「我望你再不要掛在心上！」

「是過去的事了，還要去提牠什麼？」逸卿夫人一邊顫聲的說着，一邊連連的俯下去拍浩如夫人的背脊。

正在這時候，外面有一種粗大的聲音高叫起來：

「喻！八點鐘的快車怕要趕不到了！」

她們聽到了這警告，纔如夢初醒，勉强的站了起來，逸卿夫人扶着浩如夫人的手臂，慢慢的經過廊簷下走了出去。

「婆婆！我們就在此地分別了！我明年春天定到蘇州來看你…你好好的保重身體吧！」

「你也當保重身體要緊。孩兒們不要讓她們出去，

上海地方不比內地，走出去很担心的。」浩如夫人說着，一面和她的幾個孫兒女一一握別，她們各人的眼睛裏都充滿了別淚。

「那末我們就此分別吧！願你們一路平安！」逸卿夫人說着，又叮囑她的十一歲的大女兒說：「阿齡！你要好好的服侍奶奶！……」

「願你們也一路平安！到了上海就寫封信給我！」浩如夫人已經坐在轎子裏面了，還探出頭來作一次最後的談話。

一剎時間，抬轎子的抬轎子，扛行李的扛行李，都向他們所要到的地方分道前奔，看熱鬧的人也一轟而散了，只剩了那一所空廓的住宅，還孤冷冷地站在那裏，好像對於牠舊日的主人，也有慨嘆惋惜的樣子。但從此以後，也永不會見他們的踪跡，他們是永不能囘來的了！不多幾天之後，新主人搬了進來，頓時燈燭輝煌，賓客盈門，換了一副繁榮的面目。過往的行人，也很快的把以前住在那裏的主人忘記，再沒有人去談論他們過往

76　第　二　輯

的歷史了。

　　至於金媽，那一天送了她的主人上車之後，無頭無腦的回到她主人的舊屋裏來，看了屋中那一種悽慘零落的景象，心中不覺起了一層無名的傷感。可憐他們一家興亡的殘跡，只有她看得最是親切，也只有她記得最是清楚，先前怎樣怎樣的榮貴，後來又怎樣怎樣的衰敗下去，她都一一的親眼見到。她是一個無知識無思想的鄉村婦人，但經過這一番不幸的遭遇，心裏便如受了一次極大的創痛，什麼事都使她心灰意懶。從此後，她再無心於別投新主人了。在第二天的上午，她便摒擋起自己的行李，回到她的故鄉，依在她嬸嬸家裏度她殘年的生活。

# 秋　海　棠

## 上

時光流去得眞快，七夕銀河，牛女雙星的佳會，猶如尙在目前，曾幾何時，不覺又到了中秋時節了。回想起來，我和你在石城歡聚的情形，已經如同隔世一般。這些事情，在你或者如同煙雲之過眼，不復再存在你的記憶之中；然而在孤苦寂寞的我，對於這僅僅兩天相聚的悲喜劇，除非到了我與世長辭的時候，是再也不會忘記了的。這兩天來，在陰雨晦明的日暮，在孤冷寂寞的午夜，你那種音容笑貌，與我們一月以前的往事，時時在我的心頭浮現出來。啊，舊夢重溫，原是有說不出的滋味可以細細咀嚼，但是這像夢裏靑山，江心明月的幻影，畢竟是只能使人在渺茫恍惚之中意會，畢竟是難以使我牢牢地摸住，我終於是失望而低泣，我好像此生不能再會你一面的樣子。

當一月之前，正是殘暑未消，秋風初送的時候，我

78　　第　二　輯

在驚喜之中，接到久盼不來的你的信，你那封信裏，是怪我為甚麼老是不來訪你，你說：「七夕的佳期到了，你莫非忘却了嗎？你竟忍心的失約了嗎？」我看了你這些話，一時心裏的悲喜之情，眞是難以形容得出。喜的是感激你對我的密意柔情；但我一方面又不覺深深地悲哀我自己的無力無能。唉！我屢次說要來看你而屢次失約，豈是我的心願？經濟的困迫，雜務的繁冗，實把我這身體牢牢地囚固住，老不能讓我自由飛翔。但是那時我想：「這一次無論如何再不能失約，否則太辜負你的美意了。」而且我的想與你一般為快的心情之急迫，恐怕還要比你增過數倍。在各處奔波了兩三天，總算籌到了二十多塊錢，我就抱了滿腔的熱情，搭了那一晚滬甯路的夜快車到南京來。那一天晚上，旅客雖是擁擠不堪，我的身體雖是疲乏異常，但是半輪明月，時常把我的眼波鈎引了去，我對了那娟潔的淸輝，想起了你嬌美多嬲的容顏，覺得我的身體在和你一步一步的接近攏來，我的心頭禁不住砰砰狂跳，未來的歡樂，將放的光華；

都似在我的前途顯現。所以那時車箱內長途的旅行者，
雖都在東倒西歪地熟睡無知，而我却仍是振作起精神，
把頭兒仰出窗外眺望，把手兒伸在風中歡舞，毫沒有一
些兒倦意。一直到次日清晨七點多鐘的時候，那長征不
息的火車，才慢慢的到了下關。我一看見了那親切的舊
地，便引起了無限的懷想，去年我第一次到南京來的景
象，猶如一一重現了出來的一樣，然而我的心情，却是
今昔懸殊的了。在人羣擁軋的堆中，匆匆地坐上了人力
車，向你的門前進發。那時正是一個初秋晴朗的早晨，
陽光漸漸將夜來的清露驅散，聲聲的鳴蟬，已經在夾道
的楊柳樹中吟哦得意的高歌。我更看見那路上的行人，
都似乎興高彩烈，在開始他們一日的新生命。行行前進
，不覺已到了你家門前，守門人問我訪誰，我說：「你
家的小姐在否？」他便欣然引我前進，我抬起頭來，正
見你在窗前對鏡梳粧。你看見了我，面上也露出了驚喜
的顏色，向我微微一笑之後，我們便談起別後的離情。
說不盡的無限心頭話，在未會面的時候，只想泉水般的

傾吐，但一看見了，反覺得千言萬語，何從說起才好。
我只是暗中默默地偷看着你的全身：那時你正着了一套
潔白的紗裳，纖塵不染，真彷彿神仙中人；乳色的絲襪
和翠綠花緞的鞋子，把你的小腿和一雙纖巧的天足緊緊
地裹住，那種瀟洒的風韻，真是使人魂迷心蕩，啊，海
棠！我那時若胆子大一點的，定要跪倒在你的裙下，捧
住你的一雙纖足吻一千百遍呢。我更將頭兒微仰，端詳
着你的面部，啊，你那蒼白的面色，你那蓬鬆的華鬘和
微微蹙緊的眉峯，似乎更比以前動人憐愛。其實你原是
一樣的美好，不過因為我心中更加愛了你一層的原故。
但是半載相隔，我已不能與昔日相比，你不是說過我的
嗎？你說我已消瘦多多，大不如昔日的康壯了。唉：秋
海棠！你可知道為什麼如此消瘦，如此頹唐？你只要來
一看我枕上斑斑的淚痕，就可以明白我的苦心，幾為你
而片片碎了。

　　午飯之後，我們便相約重遊玄武湖上，玄武湖上的
秋色，原是我所朝夕難忘的，我難忘的是牠單調而寂寞

的情調，我難忘的是她悠久而偉大的精神，記得去年我
在南京的時候，曾經做了一篇文字描寫她過。但是在這
夏末秋初的時候，却又是一種別樣的風光。出水的芙蕖
，正開得娉婷綽約；依依的楊柳，也都在風中舞弄，似
在歡迎她們舊日的少年來遊。我也覺得故人無恙，湖山
如舊，可以聊慰我半年來刻念的情懷。更有殷勤的舟子
，迎上前來，笑問我們的遊踪，我們揀了一只精巧的小
艇，攜手踏下，雙雙並坐在船沿，舟子點篙離岸，撑入
湖心。那時雖是烈日當空。炎威逼人，但舟中有竹簾爲
陰，陽光已減却了牠的威力，毫不覺得有些兒難受。我
更從竹簾內望出去，只看見一片油綠的荷田，正在臨風
翻弄光輝；荷田盡處，蔣山寂然嫻臥，如在貪夏日的午
夢一般。醉人的薰風，時從簾縫內偷度，送來陣陣蓮花
的幽芳，似沁入我們的靈魂深處。我想起了范蠡載西子
遨遊五湖的風流韻事，覺得我當時所處的情景，也彷彿
似之。然而紅顏弱質，今古同然，名花異世，每經不起
風雨的摧折：那時因爲船身搖蕩的過甚，我見你的神氣

82　第　二　輯

漸漸有些攝縮不安的樣子；你也頻頻嬌聲低說頭痛欲嘔。我便命舟子停篙略息。那時正搖近一座板橋之旁，我們便以橋影爲蔭，將船兒停在一株年久彎曲的垂柳之下，你才漸漸回復了安甯的態度，與我細細的談起剛才間斷的話來。我問你在這漫漫長夏之中，作何雅事消遣？你說一部紅樓夢，一柄蕉葉扇，這無聊的永晝盡夠將牠消度了。啊，紅樓夢中的瀟湘妃子，不是你心目中最愛慕的人物嗎？不是你常對我提起她的性格人品的嗎？她是孤高幽冷，她是女性中至美無上的表現。你慨嘆到現在的女子，大抵以名利是趨，再沒有一個像黛玉那般淡泊眞情的人了。我說茫茫天地之內，像黛玉那樣的女性，正大有人在呢。你也默然微笑會意。啊，秋海棠！我覺得不論你的性情，你的體態，你的一切，沒有一處不是林妹妹的化身；所以我常將你比作月夜的幽蘭，晚秋的佳菊，嫺靜淡雅，她的美是含有微妙的詩意，可以使人深長玩味，而餘韻不絕的。我不喜明媚的春光，而獨愛悲哀的涼秋，因爲春天的色彩太濃艷了，畢竟只好讓

俗人去玩賞；只秋天才是藝術家的創作慾達到高潮的時候。現在呢，恰恰給我遇到了你這秋裏的人兒，啊！我也未免太幸福了吧！

在歡樂時候的光陰好像特別容易飛逝，也特別易於辜負，我們倆在這良辰美景之中，不知不覺已經把這有限的光陰流去過半；而我們在這有限的光陰之內，又不能盡量地將牠享受，我們有時只感極無辭，有時只默默相對，似乎將這時間很不經意地看過。然而這無言中的默默，比有言時更覺得意深情切。你那時雖是儘在低頭弄水中的菱葉，但我知道你心中思潮的起伏，定與那水面上一圈一圈的波花一樣搖漾的不定呢。

後來我漸漸看出了你眉宇之間，似乎有一種難言的苦痛含在裏面，又好像有許多話要說而說不出來的樣子。我幾次要想問你，也只是梗住在喉頭。但後來你終於隱瞞不住，終於對我說出你心中難言的苦衷了。你說：「我們的命運爲甚麼這樣乖張？你早也不來，遲也不來，剛巧這時候來了，而我的摯友劉女士適約我作蕪湖之

84　第　二　輯

遊，已許其於明日動身，這還是你未來以前的事，現在既難以失約，而踐約又太負你的一番盛意了。」我聽了你這一番話，猶如在融融的春之中吹來一陣剌骨的寒風，把我滿腔的熱情降到零度以下。念我此次長途跋涉，訪君白門，而你却這樣冷淡的待我：這不是太使我灰心失望嗎？所以我那時竟一句話也不來答覆你。你後來又約我同遊蕪湖，但是：咦咦！我們要是生在外國也好，生在百年以後的中國也好，不巧我們偏生在這禮敎束縛，衣冠禽獸的中國社會裏，便怎麼也不能夠如我們的心願。你想！倘若我和你同往蕪湖，同乘一只輪船，同住一個旅館，要是被人家知道了，豈不要當作一件奇聞傳佈？而你的兄嫂對你又是那樣的專橫，將來難保沒有意外之虞，那時縱你不來恨我怪我，我的良心怎樣對得你起呢！所以當時我又和你斟酌了一番，最後，勉強地對你說：「還是我犧牲吧！你決計明天去好了。」你聽了我那種顫抖的聲音，也含淚回答我說：「這樣我終究太對你不起了，我無論如何再要陪你玩一天的。」於是我才

略略將愁眉展開，與你重約明日的遊踪。你是最愛那明
陵荒涼幽寂的情景；我也覺得那地方的景況正合我們現
在的心境；我們便決定了明陵爲目的地。那時已漸漸有
些日暮的光景，我的遊興如受了箭創的鴻雁，再也不能
鼓翼而飛，便命舟子返棹登岸，沿了台城一帶徐步而行
，一路的斜陽晚景，倍使我感慨生世之淪落。秋海棠！
你可記得？我那時好像這樣對你說過一句，我說：「咳
！我的一生，恐怕也要像這將晚下去的黃昏一樣了！」
我至今囘想起來，猶覺得餘淚尚存呢。

### 下

　　第二天的一清早，我在旅館的孤舍裏夢醒過來的時
候，雖然還沒有到我們預約好的時間，就匆匆地跑到秀
山公園去等你。秀山公園的建築，頗有些像上海法國公
園的風格，可惜經營的年代不遠，夾道的樹木還沒有成
蔭；然而左邊可以近看復成橋畔的一帶垂楊，右邊可以
遙望紫金山上片片的雲影，當去年我任南京每當牢騷抑
鬱的時候，常到那地方去鄉蹰的。聽說那邊還是一個情

86　　第　二　輯

場的勝地，許多怨女痴男，時常作爲幽期密約之所；但是那時還在早晨，所以不見一個遊人。我獨自坐在一角涼亭之內，老是張大了眼睛在等你，有時故意拿出懷中藏着的一本小說來消磨時間。過了一息，我才遠遠望見一位白衣女郎，沐着朝陽嬝娜前來，從那種姍姍的細步和輕盈的體態上看來，我就知道你的芳踪已近，便遙遙以手相招。你也急步前進，與我携手爲歡。你又說劉家姊妹，今天也結伴來遊，現在正在門外相候。於是我們便並肩步出園門，只見她們正佇立門外，與我微笑爲禮。而她們那種笑容裏面，却又似乎含了一種別樣的意味。這一對姊妹花，果然都是優秀出衆，從她們那種天眞自然的態度上看來，可以知道她們的性情頗有些「先生之風」；而劉姊尤爲我所感謝不已的，想起了我以前給你的信，封信面上都寫了她的名字，由她轉交給你，我覺得我們倆人的親密，好像都是出於她所賜的一般。

　　從復成橋到明陵，一路都是崎嶇不平的路，殘廢的建築與前朝的遺跡，所以那時雖在初秋的早晨，而烈日

的光輝終究遮掩不了頹廢的景像。我舉目四眺，只覺得
沒趣，所以只是向着前面的你的車兒呆看。我看見你在
傘影底下的背影，是具有何等風流細膩的風光：絲絲的
鬢髮，時在風中飄弄，宛如秋半的楊柳。你又頻頻回過
頭來，把含笑的秋波向我微送。啊，秋海棠！我那時內
心的衝動真按制不住了，我只想跳上前來，摟住你的腰
支而成爲我的。我常聽見有許多學者說了戀愛完全是屬
於精神的契合，若夾雜了些微物質的佔有慾，那便是野
蠻人的行爲。我覺得這話，不盡合乎真理。澈底的講起
來，誰的心中沒有佔有慾？對於男女的戀愛，這一種心
理尤其燃燒得厲害。我想：戀愛倘若沒有佔有慾，決不
會深刻持久，更安望其能開花結實？秋海棠！你覺得我
的話對否？

　　明陵中的紅牆古柏，恍如舊日的情景，但四顧寂寞
，不見遊人，我倒不覺得悚然起了一種恐怖之感。那時
劉家姊妹，故意走在我們之先，後來竟不見她們的踪影
，只落下我們二人在後面。你見她們遠離他去，便和我

坐在石階之上，幽幽的訴起你的生世來。我聽了你那一番哀詞怨語，才知道你也是一個天涯淪落的可憐虫，你的父母是早已雙亡了，你現在依於兄家，雖然是不愁衣食，但精神上是常常痛苦不安的，你的嫂嫂是一個再陰刻不過的婦人，她常要在你的哥哥面前撥弄你的是非，想離間你們兄妹的感情。你的哥哥，對於你別種事情，雖然是百般依順，獨於你的婚姻問題，却是不能給你以自由的選擇，因此他極不放心你在外邊的交際，而對於他人給你的書信，尤其是檢查得嚴密，所以我有許多給你的信你都沒有看見，就是都被他所收沒了的原故。你又告訴我說：「我的哥哥新近為我介紹了一位貴冑公子，他的父親是當今政府裏的一位大員，他是正在北京某大學肄業，預備結婚之後，雙雙同到海外去度蜜月的。但是我沒有見他的一面，也沒有和他談過一句話，誰知道他是怎樣的一個人？所以哥哥每向我提起那人的時候，我總是拒絕的。後來他見我下了決心，便聲色俱厲的向我說：「你不聽從我的話嗎？你不聽從我請吃手鎗！」

啊，秋海棠！我聽你講到這句話的時候，心內不覺憤火中燒，大有怒髮衝冠的氣概；但同時又被一種失敗者的悲哀所壓倒了，頹然倒在壁上，默然不語者久之。你見我感情如此激動，便引我到上面的廢墟上登臨遠眺，但我此時心中已如將熄之死灰，我的兩眼也如同黃昏時候失羣的小鳥，我看見那在午前陽光之中的莽倒的山河，斷垣殘礫，好像都在那裏哭吊我窮促的命運一般。想起了我的一生，自幼小時候以至於現在，都是失望與悲哀的連續；照現在的情形看來，推想到將來的命運，正如那幾十萬年前的化石一般，再沒有抽芽開花的日子了。我也顧不得你在面前，兩眼的熱淚儘滾滾不息地湧了出來。啊啊！那時若是沒有你在旁邊，我定會向那茫茫的下界，縱身一躍，把我的新愁舊恨一起埋葬到烏有之鄉去的。

　　不多一息，劉家姊妹悄悄地從後面走來了，她們那裏知道我們的心事，偏要說出許多笑話來戲弄我們，我雖是異常的感謝她們，但心中只覺得有哭不出笑不出的

90　第　二　輯

苦。午後你們又邀我作雞鳴寺之遊，我只是無精打采的跟了你們去。雞鳴寺雖是依山負湖，風景佳勝，登臨其上，則金陵全景，具在目前，但我却再不能在這種傷心舊地留連片時，看看夕陽將要一步一步的向西下去了，便向你們辭別。下山的時候，我看見你還有依依不捨的樣子，我却故意放開了脚步，在你們前面老遠老遠的走去，不再回頭看你們一眼，但是我的耳邊，彷彿還聽見你最後的那一句話：「此後不知我們何日能再重見呢？……」

第　三　輯

東 海 之 濱 ‖

# 太 湖 落 日

時——初春，黃昏時分。

景——太湖之濱、岸邊岬角嵾嵯，岩石嶙峋，湖波潺潺，頻來衝擊，時起單調而輕歇之聲。岩上光潔無垢，惟偶有一二拳曲之小樹，從石縫中生出，更覺古靜多趣。右側有一紆曲之石路，更上爲一帶青鬱之松林。遠景多邱陵小山，出沒水際，時正受落日之反照，現蒼茫隱約之態，如在縹緲仙景中。更遠爲一片瀰漫。天際征帆數點，似送斜陽歸去。

幕開時明卿和素雲正從岸邊石路上走來，石路崎嶇不平，素雲着高底鞋不便於行，明卿頻頻扶之。傍晚的微風，無形中從水面吹來；他們兩人的鬢髮和衣角，也都隨之飄拂。他們慢慢的走到水邊，揀了一處寬廣的岩石上相並地坐下。


明　啊！此地真是一處好地方！

2 　第 二 輯

素　眞是一處好地方呢！啊，自從我們逃出———哦！不
　　是逃，自從我們從專制的家庭中脫離了出來之後，
　　我們遊歷過的地方、也不算不多了：蘇州，鎭江，
　　南京：我們差不都多去過了，但是那裏有一處及得
　　來此地的清遠出世呢！———哦！你看那一帶接連在
　　水面上的青螺似的小山！……

明　啊！這樣好的地方，爲甚麼我們沒有聽見人家說起
　　過呢？

素　本來是有名的地方未必一定好，沒有名的地方未必
　　一定是壞的，那蘇州的寒山寺，不就是一座荒涼頹
　　敗，一無所有的寺院？我們昨天去遊了不是大失所
　　望的嗎？

明　眞是呢！社會上的情形也正如這個樣子。你看那些
　　聲譽赫赫的名人，不盡是些欺世盜名的蠹賊？而可
　　憐窮困的、倒都是些純潔無垢的青年呢。

素　啊！你又要來：你這種憤激的態度老是不肯改的。
　　在這樣無限好的夕陽裏，在這樣大自然的懷抱中，

東海之濱

我們應該把一切都忘掉了，盡量地來享樂一下才是呀！——哦！你看那一帶接連水面上的青螺似的小山！那天水交界處的幾點歸帆！那同處女的眼波似的盈盈的波浪！……

明　這波浪正像你的眼波呢！啊！我看這一幅太湖落日的風景，沒有一處不像你一樣的美好的！你看，那輕輕描着的幾痕遠山，不像是你的兩條秀黛的眉峯嗎？那西天玫瑰似的雲霞，不是像你嬌羞時緋紅的雙頰嗎？那幾葉臨風的征帆，又像是你行走時的那種輕盈飄逸的姿態呢！……

素　啊喲！你說得眞是好聽！我那裏能夠及得來這樣的美好呢？我覺得此地的風景，倒正好說是你的全人格的象徵！你的性格是雄放高潔的，你看這挺秀不拔的山峯不就是雄放高潔的象徵嗎？你的性格又是溫柔和藹的，這盈盈的湖波不是溫柔和藹的象徵嗎？你的志向是遠大高曠的，這寥廓的天水不又是遠大高曠的象徵嗎？……

**4　　第　三　輯**

明　啊啊！但願得我能夠如你所說的一樣！但願得我能
　　夠如你所說的一樣！（雙手將素雲抱在懷裏，俯下頭去接着
　　牠的芳脣，二人作了一個最時間的親吻。此時有一陣微微的晚風吹
　　過，水上的波浪，和岸邊的松林，都微微的發出一種音波來。）

素　哦！這是什麼聲音哪？

明　那是波浪在激動的聲音？

素　那是松林在搖動的聲音？

明　風吹松葉的聲音，本來和風吹波浪的聲音一樣，一
　　樣是宇宙間最自然最美妙不過的音樂呢！

素　這樣美妙的音樂，我們以前為甚麼從來沒有聽見過
　　呢？我好像是今天第一次聽見似的。

明　大自然奏出這一種音樂，原是給與那些愛自由，愛
　　幸福的人而聽的。我們從前是監禁在牢籠裏，又怎
　　樣會聽得見呢？

素　這樣說來，這美妙的音樂倒是我們這一次冒險的無
　　上代價了！

明　可不是嗎？你那天倘若沒有那種冒險的決心，現在

不是還被監禁在牢籠裏，聽着那詛咒和譏笑的聲音
嗎？

（風吹得比先前更大，水聲和松聲也格外的響起來了。素雲微作驚
訝狀，向明卿的懷中拚命的躲避：）

素　你聽！這聲音不是更緊了嗎？恐怕還不止松聲和水
　　聲，恐怕我們的行踪被他們偵查到了，是他們在追
　　趕我們的聲音罷？

明　啊！你的膽子真是小，你真是神經過敏了！你想，
　　我們那天神不知鬼不覺的逃了出來，逃出來之後又
　　在各處飄流——哦，不是飄流：是我們度蜜月的旅
　　行——他們怎麼會知道我倆的行踪呢？

素　但是倘若被他們知道了又是怎麼樣呢？

明　你究竟是女孩兒，膽子這麼小的。我們既然因着戀
　　愛的原故，把一切都犧牲了，冒了極大的危險逃了
　　出來，我們還有什麼可怕呢？他們即使曉得了追尋
　　到這裏來，你不要怕，有我在這裏，我一定能夠奮
　　勇的抵禦他們！真是衆寡不敵的時候，我們兩人便

跳到這湖心中死了，不也是一件極快活的事嗎？

素　率性我們能夠死在這湖心中倒也好了！但是我們既

然逃了出來，原是想兩個人快快活活地過一世甜蜜

的生活的，那肯就是這樣隨隨便便死去了呢？我們

現在的生活應該比以前更加珍重，更加愛惜呢！下

過………

（素雲說到此地，便停止了，好像有一件心事想起來似的。）

明　你說，你說，你有什麼心事儘管說。

素　不過我們走出來的時候帶來的錢，現在也將用完了

，我們此後又怎樣去度活呢？………

明　這些事情你去想他作甚？我們有錢的時候，儘管去

享樂，儘管去快活好了，沒有錢的時自然有法子好

想的。我現在是預備這樣：我們等到這一點錢將用

完的時候，我們就跑到上海去，租一間普通的住屋

，我們兩在那裏組織一個小家庭，我每天做些稿子

，投稿到各種雜誌上去，每月得來的稿費，我想我

們兩人的生活儘夠可以度過去了。

素 這法子固然是好，但是在中國目下的情形，靠文字
　　來生活終究還只好說是理想的。聽說上海的各種雜
　　誌上，酬報的稿費是極其苛刻的。而且那些主持雜
　　誌的編輯，他們只曉得作者的有無名氣，那顧得作
　　品內容的好壞呢？你的作品雖是高超，恐怕也未必
　　一定靠得住罷！

明 唉！素妹！你為甚麼老歡喜從壞處着想呢？我們應
　　當處處從光明處着想才好啊！上海的文藝界縱然是
　　不良，但我想也未必都是如此罷！一般的人縱以我
　　為無名而不理我，但我想總也有一部分的明眼人能
　　夠同情我的罷！我希望我們的前途總不致那樣壞！

素 唉！明哥！你不要如此悲哀了！我這樣的說着，也
　　不過是因為我自己恨我沒有本事，不能夠幫助你，
　　將來要累你如此的操心勞力的原故罷了！我並不是
　　故意要希望我們的前途黑暗。明哥！你不要怪我了
　　罷！

明 啊！你又要講出這樣的話來！我和你既是這麼相愛

，還有什麼彼此之分呢？況且，你從前不是很歡喜繪畫的嗎？你將來可以天天作畫，待到積多之後，我可以替你主辦一個展覽會，以你這樣超越的天才，我想一定有許多人出了重價來爭購你的作品的，那不是幫助我的極好的方法嗎？

素　不錯：這倒是一個極好的方法！

明　那末你還憂愁甚麼呢？——啊！我們為甚又談到這些地方去了？剛才你不是對我說過的嗎？在這樣無限好的夕陽裏，在這樣大自然的懷抱中，我們應該把一切都忘掉了，盡量地來享樂他一下才是啲！啊！我們快盡量地來享樂他一下吧！哦！這落日的情景，不是比剛才更變得美麗了嗎？

素　哦！眞的，沒有你提醒我，我眞的要把這大好的美景辜負了呢！哦！這黃昏時的景色，會變幻得如此迅速，而且愈變愈覺得美麗了！你看，這西方的落日，已經將一半藏在雲層裏去了！那四面的山峯已深沉得不可復辨了！那波上流動的金光搖幌得更奇

特了！像萬條的金蛇在那兒游泳，像無數的星火在
那兒跳躍——哦，不像，不像，我簡直沒有東西形
容得出來了：

明 這樣的奇觀不是夢裏才有的嗎？我好像在這兒做夢
　似的，又好像小時候在故鄉裏也曾經見到過的。

素 我們故鄉的風景，那裏有這樣的偉大！那裏有這樣
　的奇麗！你也許是在夢裏見過的罷。

明 夢裏？……恐怕還不是夢裏！噢，是在我的幻想裏
　，我小的時候，時常歡喜依在樓窗口看西天的夕照
　，我看了那變幻莫側的霞海，時常會幻想出許多沒
　有看見過的幻景來，這樣的情景我彷彿也幻想到過
　的，不過總是恍恍惚惚的，記也記不清楚了！

素 真的，夕照時的霞海，最容易使人幻想出種種有趣
　味的幻景出來，（以手指西方的天空）你看！你看！這邊
　不是有許多幻景啓示於我們之前了！你想這火一般
　紅的夕陽天像什麼？

明 我看倒很像荒古時杳無人跡的茫茫的宇宙。

素　我看也像赤道下面的大海。

明　那末這一片一片的深紫的雲霞可以比作那海洋裏的
　　荒島了。

素　有的是也像熱帶中的猛獸，你看牠們不是在對着如
　　火如荼的大海作悲壯的狂吼嗎？

明　啊啊！這真是一幅悲壯而偉大的奇景！

　　（二人默然呆望久之）

素　哦哦！這湖面上一點一點黑擴大起來的幾點影是甚
　　麼喲？

明　那是漁家的歸舟吧！

素　他們真是閒散！他們真是幸福！

明　他們過的已經不是人的生活了！

素　他們過的是甚麼生活喲？

明　他們過的是海鷗一般的生活。

素　啊啊！我們也在此地做漁家罷！

明　我們還是化身作海鷗去罷！

　　（遠遠似乎有一種清悠的歌聲遠起，他們都默然傾耳而聽。）

東　海　之　濱　　11

朝日昇，

曉風涼。

阿儂打槳去，

去會我情郎。

我們的家在蘆荻裏！

我們的家在水中央！


晚風吹，

落日降。

儂在郎懷裏，

默默對斜陽。

我們的家在蘆荻裏！

我們的家在水中央！

素　哦哦！這是甚麼人在那兒唱歌？唱得怪婉轉清澈不
　　過的！

明　這大概是漁家的女兒在那兒唱的戀歌。

素　她們也知道戀愛嗎？

12　　第　三　輯

明　只有她們才眞是知道戀愛的，只有她們才眞知道自
　　由的！你看她們朝朝暮暮，在那綠水柔波之中，任
　　她們怎樣歡樂，怎樣親愛，也不會有人知道她們的
　　，也不會有人去干涉她們的。

素　啊啊！這樣說來，我們眞是不及她們了！我們那裏
　　有她們那種幸福！我們那裏有她們那種自由！

明　但是我們現在也是和她們一樣的自由，一樣的幸福
　　了！

素　你看我們也在此地做了漁家好不好？

明　我們將來一定到此地來做漁家！

素　我們今晚上也不要離開此地了！

明　晚上涼得很呢！你看現在吹來的晚風不是比剛才更
　　涼了些嗎？

素　我身上眞覺得有些涼起來了！

明　哦！我們現在還是暫時離開此地罷！明天再來好不
　　好？（起立，拉素雲的手。）

素　我們再停一忽兒！我們再停一忽兒！我們不要錯過

這千載一時的美景吧！哦！這落日只剩得一絲的殘
照了！這遠景已經被蒼茫的暮靄遮掩得若隱若現了
！我們不要錯過這千載一時的美景喲！

明　哦哦！風兒吹得更涼冷了！天色更昏暗下來了！我
們還是暫時離開此地吧！

（明卿扶素雲之肩，慢慢由石路上走去，又聞清悠的歌聲遙起。）

　　　蘆荻裏，

　　　水中央。

　　　儂是湖邊女，

　　　君是漁家郎。

　　　我們要沐浴在晚風裏！

　　　我們要偎依着看斜陽！


　　　蘆荻裏，

　　　水中央。

　　　我們要化作雙雙白鷗去，

　　　拍翅去飛翔，

我們要飛到天海裏！

我們去棲在雲島上！

（歌聲漸遠漸不可聞，幕徐徐下。）

十三年三月六日作

# 秋 夜 書 懷

啊，今晚上又睡不着了，而且月光也沒有，在這樣的一片無邊的黑暗裏，如何能夠消度過去呢！靠在冷清清的孤枕上，心內只覺得空虛落漠，有滿懷抑鬱而吐不出來的樣子。側耳遠聽，蒼茫寥廓的四野之中，只聞得一聲兩聲的秋蟲的低吟，如在自嘆薄命的低泣一般。哦哦，原來是秋意已深了喲！

秋意已深了！啊！這是何等驚人魂魄的警句！記得不多時日之前，我曾經抱着滿懷的歡欣去看過春花的爛漫，我也曾經抱着極大的希望去迎過夏日的榮華，怎麼匆匆一瞥，就將到了這殘年的盡頭呢？照這樣看來，十年，二十年，三十年，可不也是匆匆一瞥的事？唉唉！我們的青年時代已將成為過去，我們去殘年恐將不遠了吧！

一年四季，春天正像一個美妙的少女，她有碧玉的冠兒，她有淺紅雙頰和嬌柔的體態，她的一身是全被歡

16　　第　三　輯

樂與希望所包圍住，更不知道人世間有些兒悲哀和失望
的事。夏天却如一個榮光被體的新嫁娘，她是已經得了
如意的情侶，度着美滿而順適的生活，所以她的肌肉是
愈長愈豐潤了，她的體量也在那裏一天一天的加增，這
正是一生身心發育最完全的時候。殘冬則不啻是一個行
將就木的老人，她那種龍鍾的老態，我不願在此多說，
說起來恐怕要太煞風景。至於秋天呢，我想如果比之於
那樓頭的怨婦，那是再切不過的了。她本來原是一個美
貌的處女，然而時間是不稍停留，儘在那裏將她的年華
流向東去，到了後來，她嬌嫩的容顏慢慢的憔悴了，他
濃黑的華髮漸漸的稀疏了，她往日的戀人也棄她而去了
；但她去絕望的殘年究竟還遠，所以她一方既時時在感
嘆那似水的年華，一方面又還時時在眷念着那如花的青
春，只是在暗地裏背人流淚的樣子。

　　以我的意見看來，春天雖是嬌美可愛，然而她的趣
味是畢竟太淺薄：令人一望而無餘味，這如同看了輕佻
的喜劇，雖有一時的快樂，而無深刻的印像。夏天則未

免太流於庸俗，我們只要被那種惱人的陽光照着已經夠煩悶欲絕了。只有這秋天的情調是最為可愛，她雖是悲哀，但這悲哀之中仍帶不盡的快慰；她雖是善泣，但這淚珠兒終究是甜蜜而有餘味的。

啊啊！秋是追懷的時期！秋是墮淚的時期！

不論那一個人活在世上，無論他的生活怎樣簡單，但多少總見過些美好難忘的情景，多少總經過些歡樂喜幸的事實。不過在遭際的當時並不感覺到什麼，或者竟平淡地將牠看過；但到過後的他日，則每一回思，更覺得過去的往事是何等甜美，而現在又怎樣的淒清孤冷，有如隔世一般，又好像要想把逝去了的流水挽回；然而無情的日曆是儘在那裏一頁一頁的翻過去，於是我們便愈想而愈渺茫，愈渺茫而愈要追懷而不忘。

這一種追懷的情緒，每受了外界的影響而生起。外界的影響則無過四季在自然中彈奏出來的情調。秋天的情調是最能夠引起我們的追懷的。啊，當那夜雨秋風的

黃昏之後，你如果一個人獨眠在旅店孤舍之中，聽了雨打芭蕉的淅淅，風吹樹葉的沙沙，刺骨的寒意，又頻頻從紙窗中穿進你的薄被裏面來，那時你定會不知不覺的重溫起往日的舊夢，而感到幻影消滅的悲哀；那一幅一幅在心眼之中印現出來的幻象，又是怎樣的在騙取你眼珠中真珠似的淚滴呢！

其實，人生那一件事情不是空幻？徹底的講來，我們從生到死，那一個不是在荒漠與孤獨結伴而行？幸福與苦痛，原是同樣的事，過去了之後，還有什麼分別呢？一堂歡聚，固然覺得春暖融融，待到酒闌人散，還不是各走各的路。啊啊！戀愛有什麼？金錢又有什麼？人生什麼多是假的，只有這淒切的孤單，才是人生的真真一道實味。這秋來的落葉不是深深的給了我們一個暗示了嗎？啊！你且試步郊原，見了那白雲的悠悠，大自然的蒼茫無垠，連天的衰草；黃葉離去了故枝，在秋風之中戰慄；萬物都隨着慘黃的斜陽而老去了。想起了春日的爛漫，夏日的蓬勃，想起了那時如何歡樂榮華，又如

何的奮發怒放，想起了如今只落得如此衰落的景象，你

定要不堪回首！

　　啊啊！這是人生的象徵！這是人生的象徵！

20　第　三　輯

# 藝術家的春夢

　　街頭叫賣小食的走販，是最明敏的藝術家，他們能將四季的情調從單調的聲音中很巧妙地表現出來，深深地暗示到人們的心耳中。譬如聽到叫銀杏果的聲音--響，我們立刻就可以感到涼秋的節季已到了；待到北風緊緊的寒宵，那冷街冷巷裏一聲二聲茶葉蛋的微音，從遠處傳了過來，我們的身上也不禁為之寒冷而戰慄。今天早晨我從睡夢中醒來，偶然聽見一個鄉下女人叫着小白菜的清脆的聲音走過，我不知不覺的就好像感到了陽春已到了爛熟的時分，平原上綠滿了連天的芳草，三只雛鴨從微皺的桃花水上流過了。

　　人家說：青春是最可寶貴的時光，我們應當在這裏盡量地去享樂，甚而至於秉燭夜遊，才不負此大好韶光。然而九十春光，大半是消磨在風雨陰寒之中，所謂明媚的艷陽天氣，只不過是清明前後的十幾日，過此便鳥

唏花落，不免有春光暹暮之嘆，這是怎樣惆悵的憾事！其實人生也是這個樣子的。年青的時候，是一生的黃金時代，我們正應當在這裏大張歡筵，在薔薇架下痛飲着葡萄之酒。但事實却並不如此，我們只飲到一滴，或飲到二滴，這筵便酒闌人散了。我們的青春時代，或是為生活所逼迫，或是為俗務所羈絆，大抵都是埋葬在愁苦的絕域之中，而送其無聊之歲月，以致於老死蓬蒿，與草木同腐。這實是人生無可奈何的悲哀，我們只能低頭忍受着的。

人類是始終在兩種生活之中矛盾着的。一種是所謂夢裏青山，江心明月的理想生活；一種便是脚踏實地，亦裸裸的現實生活。理想生活常是在一種幻美的境地，譬如居鄉的人，在他們的腦中常常構起許多都市的繁華夢；而在城市中居久了的紳士，偶然經過了村落前面，必嘆為和平靜寂之鄉，是終古優遊之地。但眞眞的事實却並不如此，待到理想成為現實的時候，我們便立刻會

感到許多不滿足起來。所謂現實覺醒的悲哀，便由此而生。這是現實的生活美的與醜的都混雜在一起，而理想的生活郤祇見了他美的一面。

要將這理想的生活完全實現出來，只藝術能有這力量。因為藝術的使命，是將雜亂紛繁的現實世界，整理，統一，使其醇化，靜化，而成為另一天國。藝術家憑了他優美的幻想，寄託在詩的世界，神話的世界，童話的世界，成為千古不滅的佳句，這便是詩人遊樂之鄉，這也是人類理想生活的烏托邦吧！

夢也是一種藝術了。因為舉凡實生活所做不到的事，正也和藝術一樣，夢裏也可以做到。所以夢裏常是美幻莫測，而轉使醒後惆悵不已的。

昨晚上我也做了一個夢，說是我兒時的一位舊相識無意之間來了，她是特地不遠千里而來訪我的；手裏是握了一束天竹葉，盪在我的案頭。我與她相見的時候，

雖只想把萬種離情一時向她傾吐，但總是塞住在喉頭；
她也半晌呆住無語。在這沈默的片時，我們只是握緊了
手，眼淚泉一般的湧了出來。覺醒了之後，猶覺餘淚尚
存，轉怪好夢之不留。但是她贈我的天竹葉是甚麼的象
徵呢？我至今還想不出來。

# 道　村　通　信

　　老友，許久以來，我沒有和你通信了，你知道我現在在什麼地方？你以為我還在上海吧？不是的，讓我告訴你，我此刻是到了兒時的舊地杭州了，那兒是我所渴慕的地方，這幾年來，我常常要想去而終於沒有去成，而現在却不料給我到了這裏，你想我的快慰是如何的難以說盡。眞的！這幾天來，我一清早便跳了起來，放開了輕快的脚步，山裏，林間，湖的堤上，儘讓我盡興地亂跑：一直到薄暮時候回來已經是很疲倦的了，所以我現在還得抽暇提筆寫這封信，實在是不容易的事情呢。

　　一個人既不得見愛於我所愛的，便當移其愛，以愛廣博無偏的自然。我突然的向你說這幾句話，你不要以為奇怪，其實我這次忙裏偷閑的來到這裏，便是為了這個原故哪。自然界瑰奇靈秀所鍾的地方，一方固然是戀愛者夢裏的天國，但同時也可說是失意的亡命者的遁逃藪。我的好遊山川便是屬於後者的一種。這話說起來好

聽，但能夠償我的願望的時候，平均計算起來，一年也
不過祇有幾日。杭州本是我的故鄉，湖畔的景色應該是
朝夕相共的，但自從十七歲那一年，我脫離了中學的關
係以後，便離此他去，此後六七年之內，你總應該知道
，我的生活大半是在上海的市中消度過去的。上海是萬
惡的魔宮，那邊看不見一塊青蒼的天空，那邊找不到一
株幽閒的花木。外國人所經營的花園雖也有幾個，我也
曾厚了臉皮跑進過去幾次，但最可恨的是那些同我們一
樣年青的戀愛者，他們偏要帶着得意的情侶在人家面前
誇耀，像我這樣的孤獨者，徒然做了他們的Background
，這又何犯着呢？所以自從去年秋天我進了這學校以後
，老是擱置在一間偏僻的小樓上，像一隻寒冬時蜷伏的
小虫一樣。

　　這小樓的四周盡是一些平屋和空場。臨窗望出去，
可以及到很遠很遠的兩間外國人的華屋和一帶參差的垂
楊。這一帶垂楊，在這一年之內，我曾看他們漸漸由鵝
黃而變爲凋殘，又漸漸由凋殘而抽青長綠了，倒給了我

26　　第 三 輯

許多渺茫的幻想。老實告訴你，我之所以能安安靜靜地那裏居得這麼長久，大半就是爲了這個原因呢。還有一種在那樓上特別可以聽見的聲響，也是無聊時我所極喜歡聆味的。老友，你知道這是甚麼？我想你無論如何也猜不到的吧？原來我隔樓的芳鄰，是幾位國粹畫家調脂潑墨的幽室，自然那四壁全掛滿了甚麼名家的書畫，每到了淒涼的日暮，國畫家多星散了，四季風却偷偷地跑了進來，剩在那裏的孤單的書畫便不再安分默守，竟掴掴地和板壁輕輕相擊起來了。啊，這是一種零落的象徵！我每聽見了這一類聲音，總會不知不覺地好像到了別一個境地，好像我是睡在一間敗落的大家的花廳裏面，在風雨飄搖的寒宵，紙窗外彷彿有怨鬼在敲門的樣子。老友！這是多麼使人恐怖的事！然而這一種想像的恐怖，却是含有異樣的樂趣呢。

然而左面的一位芳鄰却最是討厭不過的了，那便是一扣像寺院裏的大鐘，這鐘聲在每天的一定時間內總會鐺鐺地響那麼一陣，要是在我肚子餓的時候，或在上課

疲倦的時候，聽見了這鐘聲，自然如同釋去重負，再愉快不過的；然而每當我早晨沒有睡醒或午後倦怠的時候，一聽到這震人耳鼓的鐘，便好像有一個人用了鐵錘在我的心坎上亂打的一般。啊，怪不得我近來對着鏡子照的時候，總覺得一天一天的消瘦下去，恐怕就是常常聽了這魔鐘的原故吧？

同是一樣的鐘聲，你要是在昏黃的日暮，或是萬籟俱寂的晚秋的午夜，若是一個人在荒僻的屋中獨處，偶然聽見從遠處古寺中傳來的鏗然的鐘聲，你定然會感到一種異樣的境地，而把全身心沒入在這鐘聲的餘音裏面的。天才的薄命詩人黃仲則，曾寫過這樣的情景：

「二十年來堪悔事，一聲山寺霜鐘歇。」

是的！古寺鐘聲的感動人的地方，正就在這一種的情感裏面呢。記得我當年獨宿照膽台，夜中聽見隔湖的淨慈寺裏遙傳過來的晚鐘，當時只覺此身虛幻，如在綿紗的雲端，又如老僧垂垂入定，萬物與我同歸烏有，而只剩了清涼空漠的宇宙，在時間的流轉裏永不停留的默

移著的一般。

　　淨慈寺的鐘聲本來是很有名的，我小的時候便聽見人家談起過，他的聲音之所以能特別具有一種感人的偉力，也許是因為他近旁矗立着的雷峯古塔的原故吧？而雷峯塔因了這沈雄的鐘聲的繚繞，也更顯其幽玄神祕的狀態，而成了千古不解的大謎，永遠被詩人藝術家所猜想着的大謎。

　　啊，可惜雷峯塔已經在去年塌倒了，這實是一件出人意外的憾事。當那消息傳來的最初，我猶將信將疑，信是在夢中，真疑是故意造謠以動他人的聽聞：待到了消息已經證實之後，真是使我愕然的驚住，有如今歲聞到孫中山死去時一樣的使我有無限的悲傷！啊！這千年屹立的雷峯古塔，這悲壯沈雄的前朝的遺跡，也會有一旦消滅於無形的時候，人世的空靈無聊，我們至少在這裏可以得到一點暗示了。

　　老友，說起了雷峯塔，更使我引起無限懷舊的感想。記得兩年之前，我落魄在故鄉的時候，那時受盡了親

戚朋友的冷視，我的滿懷悲憤，無處可以發洩。有一天的下午，我穿過了繁華的新市場，獨自一個人在錢塘門外的馬路彳亍地獨行着，我一面走着，一面想起了少年的遭遇之悲苦，多少的新愁舊恨，都齊在我心頭湧現，待到我走到西泠橋畔的時候，忽然起了一個毀滅肉體的念頭，那時天地昏沈，雲水晤淡，四面沒有一個人影，我正在想提起右脚的時候，忽然抬頭看見對面的雷峯塔，他好像一位道高年長的牧師，站立在荒山的巔上在代替一般芸芸的衆生懺悔著的樣子，他看見了我，也微微一顚他顫巍巍的頭顱，向我和聲的說道：

「啊，你這可憐的少年，你受了些微微挫折，就如此心灰志短，你是太不中用了！你看我，我是這麼大的年紀，經過了千餘敕風霜雨雪的打擊，仍是不屈不撓地挺然站立着。啊，你這不幸的少年，你且收回你的脚步，再向荊棘的道上踏去！」

這是實在的事情，我至今還能依稀的回想出來。然而牠畢竟年紀太老了，再不能在那斜陽古道之中，苟延

殘喘，絲毫不留連地毀滅於無形。所以我這次囘到故鄉來，第一件就想到這一囘事情，當車子拉過白堤的時候，我側首向北高峯的脚下望去，只覺得空空洞洞地少去一件東西的樣子；再囘看看寶叔塔，則依舊挺然健在，然而牠那種喪偶失伴的悲痛之情，無論如何掩蓋不過去的。自來雷峯與寶叔相映對峙，成了西湖風景中心處，正好如一部小說中的兩位主人公，所以我常常說：雷峯塔好像百戰倖生的英雄，寶叔塔却如一位絕代的佳人，我們若把雷峯比作項羽，則寶叔可說是虞姬了。啊，如今英雄是已經葬身黃土，這佳人的寂寞生涯是如何的難以消度？

故鄉的景物，除開不見了雷峯塔的外，幸喜都還保持着舊日的姿態。可惜我已經來得太遲，南風日夜的吹來，把春色的西子漸漸長得老大了，黃鶯的醉歌已在嫩綠的枝頭消逝；碧桃樹下，只剩了落紅滿地，山野上盡是一片濃厚肥綠，大約是炎夏的節季，來也不遠了。春季的西湖，我所最愛的地方：一種是滿山開遍的杜鵑花

，杜鵑花既適宜於遠看，而靜觀尤覺有愛嬌輕盈之美，她是常常羞紅了臉兒在歡迎遊客的；其次是香客了，當春暖的二三月之交，靈隱道上，穿的紅綠的綢絹衣服，背了黃布袋漫步前進着的那些善男信女，她們大抵是江南一帶的安分百姓，點綴在這春色的湖山裏面，不知道什麼原故；我看見了之後，總會感到一種和平善好的情調，這正可說是一種太平景象呀。但是我這次囘到故鄉，杜鵑花既已殘葵零落；而香客也寥寥無幾，大概她們是都已經囘家看蠶織布去了吧？

晴湖不如雨湖，晝湖不如夜湖，這兩句話確含幾分真理。美術家常常說，糢糊比淸晰更美，雨湖夜湖之所以美者，大約也是因爲糢糊的原故吧。模糊的景象多含蓄，而能啓人深思，所以月亮底下的美人更帶有詩意的。這幾天正是陰歷四月的中旬，是月圓的時節，前天晚上，我曾經和幾位朋友同遊過夜湖一次，初昇的月亮，好比是微笑的少女之臉，她銀白的光輝，默默地映在山腰水邊，幽靜極了。湖面上掠過一陣風，水微微的起了

## 32　第　三　輯

幾暈波花，楊柳的倒影也跟着鬆散了。月兒躲在蓬鬆的柳絲縫裏，倒映在湖水中，那是一幅林黛玉派的美人的肯影，我想起了幾位帶有病態的美的女學生來，想起了已經棄了我的秋海棠，心中不覺感到一種莫名其妙的惆悵。

啊！湖山依舊，人事已非，老友，你是知道我的脾氣，我是最歡喜在一種懷舊的感情裏面生活着的。有一天的午後，我爲着要領略那幼年時代的情調的原故，特地從這荒僻的道村跑到杭州城裏去，旗營改造的新市場更比以前熱鬧了，大旅社大菜館不知在什麼時候憑空又增添了不少，便是那帶有古風的豐樂橋直街，現在也正在那裏翻造馬路。我經過以前讀過書的中學的門前，也換了一不同的面目，倘若我不知道那條路是橫大方伯，幾乎認不出那是我的母校了。我在這母校的門前徘徊了幾轉，兩眼呆呆的朝裏面癡望了半息。那門前走出走進的許多中學生，他們看見我那種奇突的樣子，以爲我是肖小之徒，便把他們的視線都在我的全身上上下下的注

意了一翻，我不覺心中暗暗的好笑，我想想「你們這後生小子不要看輕了我，我是你們的老前輩嚛。當我在這裏做學生的時候，恐怕你們還只在小學校裏啓蒙呢。………」啊，老友，你看我現在的思想也會變得這樣老氣橫秋了。

老友，我這次回故鄉的傷感正還多呢。我自從在母校門口遭了一場沒趣之後，在冷街冷巷裏糊裏糊塗的亂走了一陣，好像一個異鄉人，無處歸宿的一樣。我忽而想起了去會會幾家親戚的念頭。但是你不要誤會我，我並不是衣錦還鄉，想去在他們面前誇耀誇耀的呀。我現在仍舊是落拓的故我，在理是應當消影匿跡的；不過我想起了以前待我還好的幾個人，想起幾位年老的祖輩，我的兩脚便不知不覺依那方向移動過去了。穿過了聯橋直街，在一條冷僻的狹巷裏走進一家門咨，我也不問問外面的人家，便一直的跑了進去。啊，老友，這真使我太失望了，我鼓着興致進去一望，非但不看見一個人影，連桌椅板橙也不見一隻，只剩了空空洞洞的三間樓房

。這房屋本已是古舊了，屋角檐前都結滿了蛛絲網，況又值不雨的陰天，冷風不時的在這破屋的四周窺探，紙窗被風吹了，息息索索地作起怪響來，我的毛髮都豎起來了。後來我找來找去，在後天井裏居然找到了一個人，那是一位半老的傭婦，正站在井欄旁邊吊水，我便走近一步問了她一句：

「啊，老媽媽！唐家現在搬到什麼地方去了？」

她張大了兩隻眼睛，呆呆地朝我望了許久：「我也是新來的，是陳家託我在此管理，大約不久這屋就要翻造了。」

我也不好再問下去，只得提起了沈重的腳步踏出門外。

我又轉灣抹角的走過幾條街巷，到了一家的門前，敲開了門。開門的人見了我這樣一個陌生人，好像有些不許我走進去的樣子；但是我却大着胆子走了進去，裏面的幾個小孩子，看見了我，也都嚇得逃進內房去。啊，她們都是我的表弟表妹，幾年前我曾經和她們常常關

着玩的，怎麼如今也不認得我了？後來還是我先叫了她們，她們才知道我是幾年前的總哥，和我親近起來。但是我總是悶悶不樂，想來想去，她們為什麼不認得我呢？哦，我知道了，我知道我的形容變得太古怪了。原來我這時候正穿了一套破舊的洋服，什麼也不合身材；一頭蓬亂的長髮，披在肩上，正好像一個慕化的帶髮和尚，被太陽蒸得黧黑的面孔，兩塊顴骨高高的凸了出來，這正是一個異鄉的飄泊者的背影。啊，我是一個異鄉的飄泊者喲！……

　　寫來不覺已經很長了，我知道你近來的心境不甚舒暢，開首原是想寫些樂觀的言詞來使你歡慰的，但一寫又寫得這樣傷感，真是出於我的初意，我將暫時不再寫下去，再寫下去恐怕你又要說我太生的悶脫兒了。故鄉的有趣的見聞正多得很呢，待我有機會的時候再細細的告訴你罷。

# 東　海　之　濱

我常常覺得，一個人住在學校裏對於時間會感到特別的容易流逝，不但是一個星期一個星期如電一樣的在你眼前飛過，即使一個學期甚至一年兩年的過去，也不是十分煩難的事罷。一忽兒看見學生們一個一個都興高彩烈的攜着行李從各處聚攏來；不要多少時光，又可以看見他們匆匆的趕回家去了。這種情形在當事者的心中或者並不會有何等感觸；但一落了旁觀者的冷眼之中，就會不知不覺的起一種興亡盛衰之感——這實可說是一幅全人生的縮小圖形嚇！

此刻又到了該放暑假的時候，歸心如箭的那些學生，又和去年一樣，星散得乾乾淨淨了。向日充滿了笑聲歡語的宿舍裏，如今只剩得幾副空牀的架子在那裏任鼠輩的跳跑。黃霉時節的天氣是再悽慘不過的，在新雨初晴之後，人偶而在庭前閒立，看看階前不經人意的開花

野草，受着涼濕的南風微微吹拂，頗有些兒閒散空漠之
感；就是隔院遠度過來的比亞琴的聲音，也變了一種百
無聊賴的情調了。想想去年的今日，恍然如在目前，不
覺自己對自己低低嘆了一聲：「匆匆，又是一年了呢！」

　　去年的此時，我正寄住在某書局的編輯所裏，那時
我的心境也正和現在一樣的漫無着落。白天裏儘躺在床
上做着無頭無腦的好夢，一點事情也不想做。那時候幾
個同住的好友都先後遠去他方，我受了幾次客中送客的
悲情，神經更變得脆弱易感，一個人獨處在寥廓的孤室
中，時常會無緣無故的流出眼淚來。有幾位朋友見我這
樣的情形，便勸我說「你既然如此頹唐，何不到別處去
旅行一次，呼吸一點新鮮的空氣？」我自己也是這般的
希望着。

　　三伏中旬的一個午後，天氣炎熱得很，我正在枕上
貪着午睡，忽然被樓梯上一陣急促的步聲驚醒了，接着
在朦朧中便看見 C君已踏進房裏來。他提着一只手提箱
，在我的床邊一放，便拉住我的手說道：

「去去，到我的家裏去住幾天。」

C的家鄉是在黃浦江的彼岸，他正求學在滬上，是我們朋友中最年輕的一個。他的頑皮的性格有時使人討厭，而有時又使人覺得可愛的。那時候因為他不時來談笑可以聊破我的寂寞，所以我是很歡迎他來的。

「去去，快些穿起衣服來，遲了恐怕輪渡趕不着的。」他不管我的同意不同意，又這樣急迫地催促我起來。

「你又這樣性急起來，等一等，讓我再仔細想想看。你們那邊有甚麼好風景？」我一面問他，一面立起身來，表示我願去的意思。

「看海，我們那邊東海邊上的風景，恐怕你從來沒有看到過罷？」他頗自傲而直捷的回答；「而且夏天的鄉景正有說不盡的樂趣兒。」

我聽了他這幾句話，腦中不知不覺的浮上了一層美妙的幻景，好像我是到了別一個境界了——那地方是一片廣漠無際的海面，海邊上，便接着平滑的沙灘，沙灘的盡頭，有一帶蒼鬱的松林，在松林的高原上，有三兩

間農家的小屋，站在這小屋的門口，便可以看得見海中
的落日與天際的歸帆，可以看得見夕陽光裏在沙灘上揀
着貝殼的兒童，看得見西天幻變的雲霞與水面上出沒的
鷗鳥……我又想到那鄉村的夏日，當那雷雨之後，天上
隱現虹霓，野中滿眼新綠，到處都可覺到草葉的幽香，
到處都可以聽到虫鳥的祕樂；三五良友，集坐小閣，把
酒臨風，縱談無題……

這是多麼使人豔羨的田園風趣！我平生只是希望田
園生活的實現，而生活總是在都市中虛度，如今旣承 C
君之邀，何不趁此去一償平生夙願？——我這般的想着
，便向 C 君說：

「我決定和你同去玩一次，不要心急，讓我穿起衣
服來。」

## 二

輪渡果然趕不着，只好僱平常的小船。這樣火熱的
天，坐在沒有頂篷的船裏，渡過遼闊的黃浦江，本來不
是住在安閒的編輯所裏的我所願意的。但當時因爲我抱

40　第　三　輯

了滿大的希望；幷且我以為：從黃浦灘渡船，到彼岸，趁長途汽車，汽車到了海岸的終點，走不到幾十步，便是 C 君的家了。這是很輕便的一種旅行，而且怎樣的帶有南歐風味呢。所以我也就欣然的渡過去了。

接着便是坐長途汽車，那就爽快得多了，在鄉間無人走的坦坦大道上開足了加速力，兩旁綠樹田疇飛一般的向後退去，風便嗚嗚的向我們車箱裏直送，於是把炎夏的苦悶完全忘却了。乘了這浩浩的長風，可以開展許多海闊天空的遐想，這無邊際的四野，這漫長的坦道，而我們的汽車正在向碧海青天中進行，這正是得意的人生的象徵。我於是揚起帽子在風中歡舞，好像我自己也是幸福的隊伍中的一個。

汽車到了終點了，並不見甚麼海岸，只是稀稀落落地幾間白牆黑頂的小屋。那怕是小市鎮麼？小市鎮是我所最憎惡的，既沒有鄉村的空闊，又沒有都市的整潔，狹窄的街道，穢濁的市塵，而無聊的游民却特別的多。所以我先就有些不滿意了。我當時心裏以為 C 君的家就

在這小市鎮裏吧，於是悔恨起此行之多事。但 C 君却在下車之後，伸出手臂來一看錶，對我搖着頭說：

「阿呀，今天趁不到船了！但是，不要緊，不要緊，今晚上可以到我親戚家裏去住一晚。」

我聽了他這些意外的話，真要急得跳起來了。什麼！還要坐船嗎？這夏天的小船內之生活之難堪，不難想像而知。烏黑的船篷裏，像地窟裏一樣的窄悶，充滿了汗臭與人氣，一搖一擺的緩緩前進，坐在裏面像坐在囚牢裏一樣，不病死還算是萬幸。我到此不免十分悔恨起來，恨不得立刻辭了 C 君趕囘到上海去。但 C 君却不管我心裏如何發怒，只拉了我的手，曲曲折折的走過幾條狹街，到了他的姑母家裏。幸虧這一天他姑母家裏空無其人，只剩一個女傭人在那裏看屋。這一天晚上，倒樂得讓我們逍遙自樂。睡在露天的竹榻上，看看天上繁密的星空，聽聽隔壁男女芭蕉扇底的閒話，頗有些童年時代的感覺。

第二天的一清早，我們便進了那浮動的牢獄，在我

42　第　三　輯

們的心裏當然是懊悶的，但也只得忍受這數小時的徒刑。而且，這樣的小航船，我以前在暑假寒假回家的時候總得要坐的，我每次坐的時候總感到異樣的不安，以後一提起囘家便使我愁眉不展。這囘我在不料中重趁這小航船，那往時不快的感覺又重復現到我的心頭。我苦悶極了，只得嚴閉我的雙眼，暫時繼續昨晚的殘夢。

　　一覺醒來，船已將抵岸了，同船者均頓現笑容，如釋重負，如得大赦。我和Ｃ君先後跳上了岸，向鄉間廣漠的平原上進發。時將正午，長空深碧，不見片雲，驕陽趁其威勢，無遮無掩的直逼地面，我們越陌度阡，只恨沒有成蔭的大森林的躲避；而飢渴交加，幾如旅行沙漠，前途希望渺茫，生死難有把握的一般。聲嘶力竭中只見一片油綠的禾稻，連接天際，有如碧海，南風過處，幻成微波層層，滾滾起伏。苦蟬遠近爭鳴，似助長炎夏之威烈。

三

　　大約走了三里多路，才到了Ｃ君的家門。他們是聚

族而居，屋舍毗連，遠望猶如一小村落。周圍有槐楡梧
桐之類的雜樹環抱；門前一片廣場，可以想見秋冬五穀
豐登時的樂趣；屋後繞以清流，古柳橫臥，雜草叢生。
總之，這確是一個理想中的鄉村生活，而像我這樣在都
市中住慣了的人，尤覺羨彼清福，不能自已。

在窮鄉僻壤之間，忽然來了我們兩個穿外國衣服的
異邦人似的人，確是容易引起人家的注意。我到了C君
的家裏，不一刻，就有許多赤着上下身像泥鰍似的小孩
蜂聚攏來，伸長了頭頸只是向我們呆看；女人們則站在
遠處瞭望，我在一瞥之間，覺得她們那種驚異的目光都
在表現她們的天眞純樸，她們那種豐滿的身體好像都是
Renoir 圖中的女性。啊…眞的藝術家確是應該生活在純
樸的鄉間的嗍！……

我正在這樣想得出神的時候，C君忽兒斜着眼睛，
指着婦人中的一個對我說：

「這就是哥哥的女人。」

我依着他的指頭望去，那女人的模樣是特別的顯出

肥胖與蠢笨，雖尚有幾分媚人的姿色，但比較到上海時流的女學生，那正如百靈之於雞鶩，美醜判然。我於是想起C君的哥哥，他曾去過人間樂土的新大陸，他是當今新文化隊伍中的一位健將：——阿，何怪他經年累月的不願歸家，何怪他談起婚姻問題便拍案大罵中國社會制度之不良。

C君忽又露出惡狠狠的笑容，指着年紀較輕一個少女——她正依在門邊偷偷地對我們窺視——和我說：

「你看，這醜東西就是我的未婚妻喲！」接着他又自己對自己恨恨地說：「不要臉的東西，又死到我們家裏來了，看你今天知道我的厲害！」說時火花似欲冒眼而出。我在旁邊聽了，止不住的笑了起來。

C君的父親，那時大約正在監督農人們的工作，或在與人議論一點什麼事情，聽說到他的兒子還帶了一個朋友回來，便連連的披上衣服出來迎接。他是一位碩健無比的老人，雖已上了六十多歲的年紀，但他精神的矍鑠，使我們年輕的人看了只有自愧。闊腰背，挺胸膛，

滿身都是隆起的肌肉，正好像一座 Rodin 的石雕名作。面部尤露出一種忠厚與和靄的笑容，那是鄉居者和平生活的象徵。後來我聽見 C君說，他終日勞動，無時或疲，日出而作，日入而息，數十年如一日。啊，你勤作耐勞的田家老翁，你的身體的健康與年歲的久遠，便是你無價的酬報了！

我因旅途的困頓與周折，幾忘此行之目的為何。待到在 C君的客室裏休息多時之後，精神既漸漸恢復了常態；而一時茶水，瓜菓，酒飯，香烟，先後並進，吃得我既飽且涼，於是便想起了東海之濱，想起了海濱浩遊之樂趣，我便提議與 C君立刻就去同走一遭。但 C君的父親却阻止我們道：

「此地離海邊約有十多里的遠近，下午天氣太熱，而且不能暢遊，不如在明天一清早，備了飯菜去，到近海的佃戶家去吃午餐。」

C君也說今天路上疲倦得很，應當休息半天，明天早晨可以鼓勇暢遊。我也覺得這樣較為安適而不至局促

。橫豎在上海也是無聊，不如在那裏多住一天的好。

午後C君又邀了族中的兄弟二三，來和我伴遊，他們都是中學裏的學生，那時正暑假歸里，所以我們談起來都很相得，說起次日早晨的海濱之遊，尤覺興高十倍。他們告訴我弄潮時如何的活潑自然，使我不覺鼓掌雀躍，喜不自勝。

因為屋內的狹隘與小孩的喧嚷，大家提議到祠堂裏去，可以比較的清閑自適。渡過板橋，不到幾步路，便是C君族中祠堂的所在了。古屋臨流，別有風趣。祠堂中本附設一小學校，以供族中子弟及鄰村兒童之敎讀；但那時正在暑假，屋內除看門的老夫妻之外，便空漠無人，桌杌縱橫，塵灰厚積，顯出一種敗落的情調。庭前鳳仙花正盛開，小草蔓生；桐蔭遮日，倍覺幽涼。我倚在樹下的石杌上，有時和同伴們縱談文藝上的樂趣與戀愛之韻事；有時倦而假寐，聽風過高木之輕語，想起了以往的種種，只覺空靈縹緲，猶如曉天殘夢。

太陽一步一步的落向村後，我們便由祠堂中囘到C

君的家裏。那時 C君的父親已經把廣場打掃清淨，杯碗
肴餐羅列滿桌，一個人翹足踞坐着在等待我們了。他看
見我們躍步歸來，臉上便露出和藹可愛的笑容，立了起
來向我們招呼：

「你們玩暢了，玩得這麼晚才回來？快坐攏來吃晚
飯罷！我已經等了你們好多時候了！……」

一時大家圍桌環坐，他們奉我為上賓，推我於首座
，我說我現在旣到了鄉間，也變了鄉下人了，不客氣反
是天眞。

晚涼的時候，在荳棚瓜架之下，或良友杯酒尋樂，
或老人與孫聲話前朝軼事，這是夏日鄉村生活最快樂的
地方，這也是我們平時理想中的夢境，但那時却眞的一
度實現在我的眼前，何况他們又是設酒殺雞那樣豐厚的
款待我呢！在淡紫的黃昏裏，在涼爽的晚風中，我只是
舉箸大嚼，飽嘗鄉村風味。C君的父親也執杯豪飲，與
我款談田家閒話。芳郁的空氣，不時的在我們席間飛渡
，是花氣還是稻香？一時却辨不分明。

## 四

翌晨，天還沒有十分大亮，我和 C 君都興高彩烈地從床上跳起來了。C 君的父親也帶了滿身的朝氣，在那裏開始一日的工作了。早餐既畢，我們便約了 C 君族中兄弟三人，結隊出發，沿着田間的小道，向無邊際的綠野中前進。這時曙色尚未大開，田野間薄霧輕蒙，遠景如隔紗帷，晨風習習吹來，使我幻想到 Millet 與 Corat 諸自然派作家圖中的情趣。同行的幾個少年，他們都是生長鄉間，腳步異常矯健；我雖久居城市，不慣跋跋，但那一天或者因為感受了大自然的清新之氣，步履也較常分外輕捷。談笑且行，不覺道途之遙遠。

朝日一點一點的昇高來了，蟬聲也隨着嘶喊不絕，於是我們又感到了炎夏的苦熱，我們雖都帶了遮陽的傘，但終抵不住烈日的薰逼。那時我們所最歡迎的，便是那車水的茅亭了。這樣的茅亭，每隔一里多路，總可以遇到一個，在平坦的田野中點綴着，確是能增加風景中的美觀。我們每走過一個茅亭，總要到裏面休歇片刻，

而且那亭內橫置的大木輪，便是我們天然的坐椅，取出籃內攜來的瓜果分食，好像是囘復到童年時代一般的天眞。

田野已經走到盡頭，前面忽然現出一片不毛的泥地，這泥是鬆而且厚，被炎陽連日的薰逼，顯出無數的龜裂，踏上去頗有些搖搖不定。C君告訴我說，看見了這土地，離海已經不遠了。這地方在十數年以前，大約還是潮水汎濫的海面，世界漸漸的老大起來，海水一年年的退了出去，陸地便一年年的生長出來了。啊，滄海桑田，世事無常，看了這樣變遷的痕跡，能不使人起虛無空漠之感！

地勢忽然高起，如土阜，這大約是海防的堤岸吧。經過了那堤岸，又是另一世界，那兒有蘆荻叢生，高可尋丈，人在這裏面，幾不辨南北東西，倘若沒有熟人領導，定會迷途莫出。所以外邊的人是從沒知道有這地方的。中國人向來富於保守思想，對於海的興趣是很缺乏的，致令那天然供人遊樂的海濱，終古掩藏在荒蕪榛莽

之中，實是我們民族中的一大憾事。

　　蘆荻漸漸的短了起來，也漸漸的疏了起來，於是浩森無涯的東海之濱便在我們的眼前展開。這樣的景色是平生得未曾見，以前我雖常到吳淞海口去眺望：但吳淞的海濱沒有那樣平滑的沙灘，沒有那樣幽靜的情調，比較起來，實在要乾燥無味得多。我們那時早已把周身的衣服盡行脫去，五六個赤條條的青年，齊向那沙灘上跑去，好像是鳥飛於太空，魚躍於深淵，一般的漫無拘束。潮水剛才退去，平靜的灘上還留着海潮沖刷過的痕跡，如片片的魚鱗，踏上去覺得異常的鬆軟。大約跑了半里多路，海水便漸漸及到我們的腳背，及到我們的腰腹，我們便把全身伏了下去，任溫涼的海水在身旁輕擊。這時正值風平浪靜，水平如鏡，天上的白雲青空，與水中的青空白雲，迎成一色，如一個無際的圓空，我們在這中間，猶如在半空中被大氣輕托着的一般。我好像是已經走出了世界之外，忘去了現實的人生，飄飄然如神仙之凌虛御空。

東 海 之 濱　51

　　遠處可以望得見十多個漁人，他們正乘着早潮退去
之後，在那裏撒網待魚，他們那種悠閒的態度與自然的
神情，使我不覺回想到原始時代的夢境—那時候的人類
生活大約就如這樣的狀況罷。近海的人家，往往以捕魚
爲生，整日地出沒于煙波之中，不知世事之擾攘，就是
一旦被海潮沖去，飄浮大洋，也是一件極痛快的事。

　　我忽兒幻想起：海，海是一個神祕莫測的東西！他
是那樣簡單的，四顧只是一片無邊無際的天水；他又是
那樣的複雜善變，像一個魔術者的臉色一般。他有時會
斜着青碧的眼睛，對你輕鬆淺笑；有時會發起虎狼般的
威勢，向你怒目狂吼；他有時又會張開惡魔似的大口，
惡狠狠的來相吞噬……咧，古往今來不知道有多少的男
男女女，爲了他的引誘，都不顧一切的蹈海而去……

## 五

　　我想起這神祕的海，想起了去年此刻遊樂的夢境，
與現在比較起來，好像已經隔開了許多年歲的一般。我
於是頗悔那時不長留在那裏；我又想立刻就跑了去，重

52　第　二　輯

尋去年之遊踪。但 C 君此刻不知道已到了什麼地方去了，我又忘記了來時的路，悵望東端，徒感勝遊之不再。

— 移 —

# 夢裏的微笑

## 周全平作 —— 葉靈鳳畫

本書凡分二卷。上卷長篇一，卽「林中」是。文筆穠麗，情節哀艷，深得茜夢湖之神髓。下卷短篇三：聖誕之夜，愛與血的交流，舊夢。描寫一段夢一般的戀史，極見精彩。前後亦有一貫之線索可尋。爲全平先生最近之傑作。卷首有葉君靈鳳所繪之插圖多幅，亦均精妙異常。用上等瑞典紙精印一厚册，精裝實價一元，平裝實價七角半。

# 中國婦女的戀愛觀

## 王平陵作 —— 精印一册 實售二角

本書首述戀愛之起源與愛之分析，中叙我國婦女在男性中心下之悲哀，及在文學上表現的我國女性，末論我國婦女的經濟結婚觀，并將來的光明。凡十四章，闡論我國婦女的戀愛觀，繁簡確切，足爲研究婦女問題者之一助。精印一册，實售二角。

上海四馬路光華書局發行